JN158361

宮沢賢治コレクション 5

なめとこ山の熊

童話Ⅴ

筑摩書房

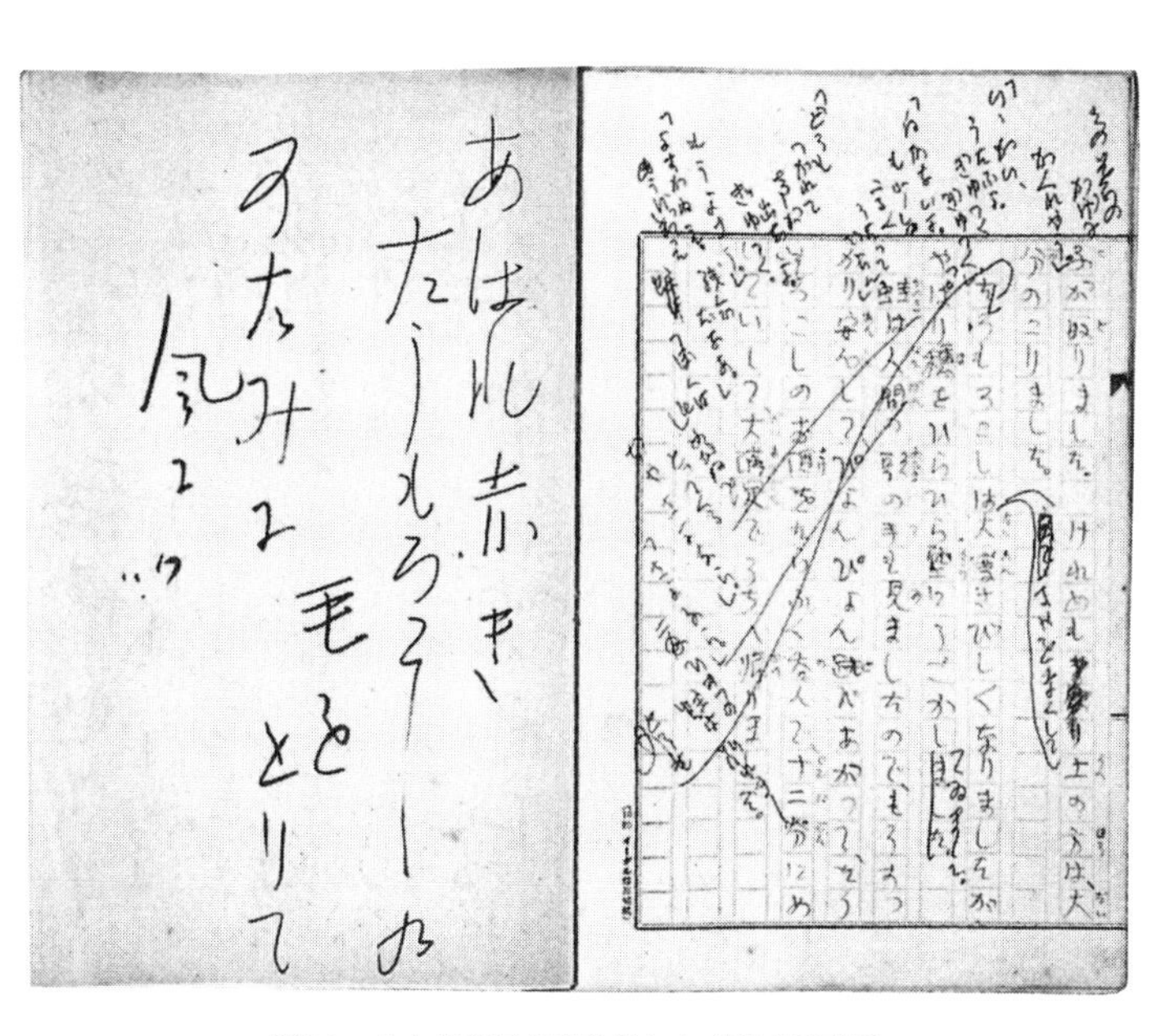

「畑のへり」草稿最終葉左半および裏表紙裏面

監修　天沢退二郎
入沢康夫
編集委員　栗原　敦
杉浦　静
編集協力　宮沢家
装画・挿画　千海博美
装丁　アルビレオ
口絵写真　「畑のへり」草稿最終葉左半および裏表紙裏面
（宮沢賢治記念館蔵）

目次

宮沢賢治コレクション5

なめとこ山の熊

童話V

楢ノ木大学士の野宿

ならのきだいがくしののじゅく

楢ノ木大学士は宝石学の専門だ。
ある晩大学士の小さな家へ、
「貝の火兄弟商会」の、
赤鼻の支配人がやって来た。
「先生、ごく上等の蛋白石の注文があるのですがどうでしょう、お探しをねがえませんでしょうか。もっともごくごく上等のやつをほしいのです。何せ相手がグリーンランドの途方もない成金ですから、ありふれたものじゃなかなか承知しないんです。」
大学士は葉巻を横にくわえ、
雲母紙を張った天井を、
斜めに見上げて聴いていた。
「たびたびご迷惑で、まことに恐れ入りますが、いかがなもんでございましょう。」
そこで楢ノ木大学士は、
にやっと笑って葉巻をとった。

「うん、探してやろう。蛋白石のいいのなら、流紋玻璃を探せばいい。探してやろう。僕は実際、一ぺんさがしに出かけたら、きっともう足が宝石のある所へ向くんだよ。そして宝石のある山へ行くと、奇体に足が動かない。直覚だねえ。いや、それだから、却って困ることもあるよ。たとえば僕は一千九百十九年の七月に、アメリカのジャイアントアーム会社の依嘱を受けて、紅宝玉を探しにビルマへ行ったがね、やっぱりいつか足は紅宝玉の山へ向く。それからちゃんと見附かって、帰ろうとしてもなかなか足があがらない。つまり僕と宝石には、一種の不思議な引力が働いている、深く埋まった紅宝玉どもの、日光の中へ出たいというその熱心が、多分は僕の足の神経に感ずるのだろうね。その時も実際困ったよ。山から下りるのに、十一時間もかかったよ。けれどもそれがいまのバララゲの紅宝玉坑さ。」

「ははあ、そいつはどうもとんだご災難でございました。しかしいかがでございましょう。こんども多分はそんな工合に参りましょうか。」

「それはもうきっとそう行くね。ただその時に、僕が何かの都合のために、たとえばひどく疲れているとか、狼に追われているとか、あるいはひどく神経が興奮しているとか、そんなような事情から、ふっとその引力を感じないということはあるかもしれない。しかしとにかく行って来よう。二週間目にはきっと帰るから。」

「それでは何分お願いいたします。これはまことに軽少ですが、当座の旅費のつもりです。」

貝の火兄弟商会の、

鼻の赤いその支配人は、

ねずみ色の状袋（じょうぶくろ）を、
上着の内衣嚢（うちポケット）から出した。
「そうかね。」
大学士は別段気にもとめず、
手を延ばして状袋をさらい、
自分の衣嚢（かくし）に投げこんだ。
「では何分とも、よろしくお願いいたします。」
そして「貝の火兄弟商会」の、
赤鼻の支配人は帰って行った。
次の日諸君のうちの誰（たれ）かは、
きっと上野の停車場（ていしゃば）で、
途方（とほう）もない長い外套（がいとう）を着、
変な灰色の袋のような背嚢（はいのう）をしょい、
七キログラムもありそうな、
素敵（すてき）な大きなかなづちを、
持った紳士（しんし）を見ただろう。
それは楢（なら）ノ木大学士だ。
宝石を探しに出掛（でか）けたのだ。

出掛けた為にとうとう楢ノ木大学士の、
野宿ということも起こったのだ。
三晩というもの起こったのだ。

野宿第一夜

四月二十日の午后四時頃、
例の楢ノ木大学士が
「ふん、此の川筋があやしいぞ。たしかにこの川筋があやしいぞ」
とひとりぶつぶつ言いながら、
からだを深く折り曲げて
眼一杯にみひらいて、
足もとの砂利をねめまわしながら、
兎のようにひょいひょいと、
葛丸川の西岸の
大きな河原をのぼって行った。
両側はずいぶん嶮しい山だ。
大学士はどこまでも溯って行く。

けれどもとうとう日も落ちた。
その両側の山どもは、
一生懸命の大学士などにはお構いなく
ずんずん黒く暮れて行く。
その上にちょっと顔を出した
遠くの雪の山脈は、
さびしい銀いろに光り、
てのひらの形の黒い雲が、
その上を行ったり来たりする。
それから川岸の細い野原に、
ちょろちょろ赤い野火が這い、
鷹によく似た白い鳥が、
鋭く風を切って翔けた。
楢ノ木大学士はそんなことには構わない。
まだどこまでも川を溯って行こうとする。
ところがとうとう夜になった。
今はもう河原の石ころも、
赤やら黒やらわからない。

「これはいけない。もう夜だ。寝(ね)なくちゃなるまい。今夜はずいぶん久しぶりで、愉快(ゆかい)な露天(ろてん)に寝るんだな。うまいぞうまいぞ。ところで草へ寝ようかな。かれ草でそれはたしかにいいけれども、寝ているうちに、野火(のび)にやかれちゃ一言(いちごん)もない。よしよし、この石へ寝よう。まるでね台だ。ふんふん、実に柔(やわ)らかだ。いい寝台(ねだい)だぞ。」

その石は実際柔らかで、
又敷布(またしきふ)のように白かった。
そのかわり又大学士が、
腕(うで)をのばして背嚢(はいのう)をぬぎ、
肱(ひじ)をまげて外套(がいとう)のまま、
ごろりと横になったときは、
外套のせなかに白い粉が、
まるで一杯(いっぱい)についたのだ。
もちろん学士はそれを知らない。
又そんなこと知ったとこで、
あわてて起きあがる性質でもない。
水がその広い河原の、
向こう岸近くをごうと流れ、
空の桔梗(ききょう)のうすあかりには、

山どもがのっきのっきと黒く立つ。
大学士は寝たままそれを眺(なが)め、
又ひとりごとを言い出した。
「ははあ、あいつらは岩頸(がんけい)だな。岩頸だ、岩頸だ。相違(そうい)ない。」
そこで大学士はいい気になって、
仰向(あおむ)けのまま手を振(ふ)って、
岩頸の講義をはじめ出した。
「諸君、手っ取り早く云(い)うならば、岩頸というのは、地殻(ちかく)から一寸頸(ちょっとくび)を出した太い岩石の棒である。その頸がすなわち一つの山である。ええ。一つの山である。ふん。どうしてそんな変なものができたというなら、そいつは蓋(けだ)し簡単だ。ええ、ここに一つの火山がある。熔岩(ようがん)を流す。その熔岩は地殻の深いところから太い棒になってのぼって来る。火山がだんだん衰(おとろ)えて、その腹の中まで冷えてしまう。熔岩の棒もかたまってしまう。それから火山は永い間に空気や水のために、だんだん崩(くず)れる。とうとう削(けず)られてへらされて、しまいには上の方がすっかり無くなって、前のかたまった熔岩の棒だけが、やっと残るというあんばいだ。この棒は大抵(たいてい)頸だけを出して、一つの山になっている。それが岩頸だ。ははあ、面白(おもしろ)いぞ、つまりそのこれは夢の中のもやだ、もや、もや、もや、もや。そこでそのつまり、鼠(ねずみ)いろの岩頸だがな、その鼠いろの岩頸が、きちんと並んで、お互(たが)いに顔を見合わせたり、ひとりで空(そら)うそぶいたりしているのは、大変おもしろい。ふふん。」

それは実際その通り、
向こうの黒い四つの峯は、
四人兄弟の岩頸で、
だんだん地面からせり上がって来た。
楢ノ木大学士の喜びようはひどいもんだ。
「ははあ、こいつらはラクシャンの四人兄弟だな。よくわかった。ラクシャンの四人兄弟だ。よしよし。」
注文通り岩頸は
丁度胸までせり出して
ならんで空に高くそびえた。
一番右は
たしかラクシャン第一子
まっ黒な髪をふり乱し
大きな眼をぎろぎろ空に向け
しきりに口をぱくぱくして
何かどなっている様だが
その声は少しも聞こえなかった。
右から二番目は

たしかにラクシャンの第二子だ。
長いあごを両手に載せて睡っている。
次はラクシャン第三子
やさしい眼をせわしくまたたき
いちばん左は
ラクシャンの第四子、末っ子だ。
夢のような黒い瞳をあげて
じっと東の高原を見た。
楢ノ木大学士がもっとよく
四人を見ようと起き上がったら
俄かにラクシャン第一子が
　雷のように怒鳴り出した。
「何をぐずぐずしてるんだ。潰してしまえ。灼いてしまえ。こなごなに砕いてしまえ。早くやれっ。」
楢ノ木大学士はびっくりして
大急ぎで又横になり
いびきまでして寝たふりをし
そっと横目で見つづけた。

ところが今のどなり声は
大学士に云ったのでもなかったようだ。
なぜならラクシャン第一子は
やっぱり空へ向いたまま
素敵などなりを続けたのだ。

「全体何をぐずぐずしてるんだ。砕いちまえ、砕いちまえ、はね飛ばすんだよ。火をどしゃどしゃ噴くんだ。熔岩の用意っ。熔岩。早く。畜生。いつまでぐずぐずしてるんだ。熔岩、用意っ。もう二百万年たってるぞ。灰を降らせろ、灰を降らせろ。なぜ早く支度をしないか。」

しずかなラクシャン第三子が
兄をなだめて斯う云った。

「兄さん。少しおやすみなさい。こんなしずかな夕方じゃありませんか。」

兄は構わず又どなる。

「地球を半分ふきとばしちまえ。石と石とを空でぶっつけ合わせてぐらぐらする紫のいなびかりを起こせ。まっくろな灰の雲からかみなりを鳴らせ。えい、意気地なしども。降らせろ、降らせろ、きらきらの熔岩で海をうずめろ。海から騰る泡で太陽を消せ、生き残りの象から虫けらのはてまで灰を吸わせろ、えい、畜生ども、何をぐずぐずしてるんだ。」

ラクシャンの若い第四子が

微笑って兄をなだめ出す。
「大兄さん、あんまり憤らないで下さいよ。イーハトブさんが向こうの空で、又笑っていますよ。」
それからこんどは低くつぶやく。
「あんな銀の冠を僕もほしいなあ。」
ラクシャンの狂暴な第一子も
少ししずまって弟を見る。
「まあいいさ、お前もしっかり支度をして次の噴火にはあのイーハトブの位になれ。十二ヶ月の中の九ヶ月をあの冠で飾れるのだぞ。」
若いラクシャン第四子は
兄のことばは聞きながし
遠い東の
雲を被った高原を
星のあかりに透し見て
なつかしそうに呟やいた。
「今夜はヒームカさんは見えないなあ。あのまっ黒な雲のやつは、ほんとうにいやなやつだなあ、今日で四日もヒームカさんや、ヒームカさんのおっかさんをマントの下にかくしてるんだ。僕一つ噴火をやってあいつを吹き飛ばしてやろうかな。」

ラクシャンの第三子が
少し笑って弟に云う。

「大へん怒ってるね。どうかしたのかい。ええ。あの東の雲のやつかい。あいつは今夜は雨をやってるんだ。ヒームカさんも蛇紋石のきものがずぶぬれだろう。」

「兄さん。ヒームカさんはほんとうに美しいね。兄さん。この前ね、僕、ここからかたくりの花を投げてあげたんだよ。ヒームカさんのおっかさんへは白いこぶしの花をあげたんだよ。そしたら西風がね、だまって持って行って呉れたよ。」

「そうかい。ハッハ。まあいいよ。あの雲はあしたの朝はもう霽れてるよ。ヒームカさんがまばゆい新しい碧いきものを着てお日さまの出るころは、きっと一番さきにお前にあいさつするぜ。そいつはもうきっとなんだ。」

「だけど兄さん。僕、今度は、何の花をあげたらいいだろうね。もう僕のとこには何の花もないんだよ。」

「うん、そいつはね、おれの所にね、桜草があるよ、それをお前にやろう。」

「ありがとう、兄さん。」

「やかましい、何をふざけたことを云ってるんだ。」

暴っぽいラクシャンの第一子が
金粉の怒鳴り声を
夜の空高く吹きあげた。

「ヒームカってなんだ。ヒームカって。
ヒームカって云うのは、あの向こうの女の子の山だろう。よわむしめ。あんなものとつきあうのはよせと何べんもおれが云ったじゃないか。ぜんたいおれたちは火から生まれたんだぞ青ざめた水の中で生まれたやつらとちがうんだぞ。」
ラクシャンの第四子(しし)は
しょげて首を垂(た)れたが
しずかな直(じ)かの兄が
弟のために長兄をなだめた。
「兄さん。ヒームカさんは血統(けっとう)はいいのですよ。火から生まれたのですよ。立派なカンランガンですよ。」
ラクシャンの第一子は
尚更(なおさら)怒って
立派な金粉のどなりを
まるで火のようにあげた。
「知ってるよ。ヒームカはカンランガンさ。火から生まれたさ。それはいいよ。けれどもそんなら、一体いつ、おれたちのようにめざましい噴火(ふんか)をやったんだ。あいつは地面まで騰(のぼ)って来る途中(とちゅう)で、もう疲(つか)れてやめてしまったんだ。今こそ地殻(ちかく)ののろのろのぼりや風や空気のおかげで、おれたちと肩(かた)をならべているが、元来おれたちとはまるで生まれ付きがちがうんだ。きさまたちには、まだおれたちの仕事がよくわからないのだ。おれたちの仕事はな、地殻の底の底で、とけてとけて、まるでへたへたになった岩漿や、上から押しつけられて古綿のようにちぢまった蒸気やらを取って来て、いざという瞬間には大きな黒い山の塊を、まるで粉々に引き裂いて飛び出す。煙と火とを固めて空に抛げつける。石と石とをぶっつけ合わせていなずまを起こす。百万の雷を集めて、地面をぐらぐら云わせてやる。丁度、楢ノ木大学士というものが、おれのどなりをひょっと聞いて、びっくりして頭をふらふら、ゆすぶったようにだ。ハッハッハ。山も海もみんな濃い灰に埋まってしまう。平らな運動場のようになってしまう。その熱い灰の上でばかり、おれたちの魂は舞踏していい。いいか。もうみんな大さわぎだ。さて、その煙が納まって空気が奇麗に澄んだときは、こっちはどうだ、いつかまるで空へ届くくらい高くなって、まるでそんなこともあったかというような顔をして、銀か白金かの冠ぐらいをかぶって、きちんとすましているのだぞ。」

ラクシャンの第三子は

しばらく考えて云う。

「兄さん、私はどうも、そんなことはきらいです。私はそんな、まわりを熱い灰でうずめて、自分だけ一人高くなるようなそんなことはしたくありません。水や空気がいつでも地面を平らにしようとしているでしょう。そして自分でもいつでも低い方低い方と流れて行くでしょう、私はあなたのやり方よりは、却ってあの方がほんとうだと思います。」

暴っぽいラクシャン第一子が

このときまるできらきら笑った。
きらきら光って笑ったのだ。
(こんな不思議(ふしぎ)な笑いようを
いままでおれは見たことがない、
愕(おどろ)くべきだ、立派なもんだ。)
楢ノ木学士が考えた。
暴っぽいラクシャンの第一子が
ずいぶんしばらく光ってから
やっとしずまって斯(こ)う云った。
「水と空気かい。あいつらは朝から晩まで、俺(おい)らの耳のそば迄(まで)来て、世界の平和の為(ため)に、お前らの傲慢(ごうまん)を削(けず)るとかなんとか云いながら、毎日こそこそ、俺らを擦(こす)って耗(へら)して行くが、まるっきりうそさ。何でもおれのきくとこに依(よ)ると、あいつらは海岸のふくふくした黒土や、美しい緑いろの野原に行って知らん顔をして溝(みぞ)を掘(ほ)るやら、濠(ほり)をこさえるやら、それはどうも実にひどいもんだそうだ。話にも何にもならんということった。」
ラクシャンの第三子も
つい大声で笑ってしまう。
「兄さん。なんだか、そんな、こじつけみたいな、あてこすりみたいな、芝居(しばい)のせりふのようなものは、一向(いっこう)あなたに似合いませんよ。」

ところがラクシャン第一子は
案外に怒り出しもしなかった。
きらきら光って大声で
笑って笑って笑ってしまった。
その笑い声の洪水は
空を流れて遥かに遥かに南へ行って
ねぼけた雷のようにとどろいた。
「うん、そうだ、もうあまり、おれたちのがらにもない小理窟は止そう。おれたちのお父さんにすまない。お父さんは九つの氷河を持っていらしゃったそうだ。そのころは、ここらは、一面の雪と氷で白熊や雪狐や、いろいろなけものが居たそうだ。お父さんはおれが生まれるときなくなられたのだ。」
俄かにラクシャンの末子が叫ぶ。
「火が燃えている。火が燃えている。大兄さん。大兄さん。ごらんなさい。だんだん拡がります。」
ラクシャン第一子がびっくりして叫ぶ。
「熔岩、用意っ。灰をふらせろ、えい、畜生、何だ、野火か。」
その声にラクシャンの第二子が
びっくりして眼をさまし、

その長い顎をあげて、
眼を釘づけにされたように
しばらく野火をみつめている。
「誰かやったのか。誰だ、誰だ、今ごろ。なんだ野火か。地面の埃をさらさらさらっと掃除する、
てまえなんぞに用はない。」
するとラクシャンの第一子が
ちょっと意地悪そうにわらい
手をばたばたと振って見せて
「石だ、火だ。熔岩だ。用意っ。ふん。」
と叫ぶ。
ばかなラクシャンの第二子が
すぐ釣り込まれてあわて出し
顔いろをぽっとほてらせながら
「おい兄貴、一吠えしようか。」
と斯う云った。
兄貴はわらう、
「一吠えってもう何十万年を、きさまはぐうぐう寝ていたのだ。それでもいくらかまだ力が残っ
ているのか」

無精な弟は只一言
「ない」

と答えた。

そして又長い顎をうでに載せ、
ぽっかりぽっかり寝てしまう。

しずかなラクシャン第三子が
ラクシャンの第四子に云う
「空が大へん軽くなったね、あしたの朝はきっと晴れるよ。」

「ええ今夜は鷹が出ませんね」

兄は笑って弟を試す。

「さっきの野火で鷹の子供が焼けたのかな。」

弟は賢く答えた。

「鷹の子供は、もう余程、毛も剛くなりました。それに仲々強いから、きっと焼けないで遁げたでしょう」

兄は心持よく笑う。

「そんなら結構だ、さあもう兄さんたちはよくおやすみだ。楢ノ木大学士と云うやつもよく睡っている。さっきから僕等の夢を見ているんだぜ。」

するとラクシャン第四子が

ずるそうに一寸(ちょっと)笑ってこう云った。
「そんなら僕一つおどかしてやろう。」
兄のラクシャン第三子が
「よせよせいたずらするなよ」
と止めたが
いたずらの弟はそれを聞かずに
光る大きな長い舌(した)を出して
大学士の額(ひたい)をべろりと嘗(な)めた。
大学士はひどくびっくりして
それでも笑いながら眼(め)をさまし
寒さにがたっと顫(ふる)えたのだ。
いつか空がすっかり晴れて
まるで一面星が瞬(また)き
まっ黒な四つの岩頸(がんけい)が
ただしくもとの形になり
じっとならんで立っていた。

野宿第二夜

わが親愛な楢ノ木大学士は
例の長い外套を着て
夕陽をせ中に一杯浴びて
すっかりくたびれたらしく
度々空気に噛みつくような
大きな欠伸をやりながら
平らな熊出街道を
すたすた歩いて行ったのだ。
俄かに道の右側に
がらんとした大きな石切場が
口をあいてひらけて来た。
学士は咽喉をこくっと鳴らし
中に入って行きながら
三角の石かけを一つ拾い
「ふん、ここも角閃花崗岩」と

つぶやきながらつくづくと
あたりを見れば石切場、
石切りたちも帰ったらしく
小さな笹の小屋が一つ
淋しく隅にあるだけだ。
「こいつはうまい。丁度いい。どうもひとのうちの門口に立って、もしもし今晩は、私は旅の者ですが　日が暮れてひどく困っています。今夜一晩泊めて下さい。たべ物は持っていますから支度はなんにも要りませんなんて、へっ、こんなこと云うのは、もう考えてもいやになる。そこで今夜はここへ泊まろう。」
大学士は大きな近眼鏡を
ちょっと直してにやにや笑い
小屋へ入って行ったのだ。
土間には四つの石かけが
炉の役目をしその横には
榾もいくらか積んである。
大学士はマッチをすって
火をたき、それからビスケットを出し
もそもそ喰べたり手帳に何か書きつけたり

しばらくの間していたが
おしまいに火をどんどん燃して
ごろりと藁(わら)にねころんだ。
夜中になって大学士は
「うう寒い」
と云(い)いながら
ばたりとはね起きて見たら
もうたきぎが燃え尽(つ)きて
ただのおきだけになっていた。
学士はいそいでたきぎを入れる。
火は赤く愉快(ゆかい)に燃え出し
大学士は胸をひろげて
つくづくとよく暖まる。
それから一寸(ちよつと)外へ出た。
二十日の月は東にかかり
空気は水より冷たかった、
学士はしばらく足踏(あしぶ)みをし
それからたばこを一本くわえマッチをすって

「ふん、実にしずかだ、夜あけまでまだ三時間半あるな。」
つぶやきながら小屋に入った。
ぼんやりたき火をながめながら
わらの上に横になり
手を頭の上で組み
うとうとうとうとした。
突然頭の下のあたりで
小さな声で物を云い合ってるのが聞こえた。
「そんなに肱を張らないでお呉れ。おれの横の腹に病気が起こるじゃないか。」
「おや、変なことを云うね、一体いつ僕が肱を張ったね」
「そんなに張っているじゃないか、ほんとうにお前この頃湿気を吸ったせいかひどくのさばり出して来たね」
「おやそれは私のことだろうか。お前のことじゃなかろうかね、お前もこの頃は頭でみりみり私を押しつけようとするよ。」
大学士は眼を大きく開き
起き上がってその辺を見まわしたが
誰れも居らない様だった。
声はだんだん高くなる。

「何がひどいんだよ。お前こそこの頃(ごろ)はすこしばかり風を呑(の)んだせいか、まるで人が変わったように意地悪になったね。」

「はてね、少しぐらい僕(ぼく)が手足をのばしたってそれをとやこうお前が云(い)うのかい。十万二千年昔のことを考えてごらん。」

「十万何千年前とかがどうしたの。もっと前のことさ、十万百万千万年、千五百の万年の前のあの時をお前は忘れてしまっているのかい。まさか忘れはしないだろうがね。忘れなかったら今になって、僕の横腹を肱(ひじ)で押(お)すなんて出来た義理かい。」

大学士はこの語(ことば)を聞いて
すっかり愕(おどろ)いてしまう。

「どうも実に記憶(きおく)のいいやつらだ。ええ、千五百の万年の前のその時をお前は忘れてしまっているのかい。まさか忘れはしないだろうがね、ええ。これはどうも実に恐(おそ)れ入ったね、いったい誰(たれ)だ。変に頭のいいやつは。」

大学士は又(また)そろそろと起きあがり
あたりをさがすが何もない。

声はいよいよ高くなる。

「それはたしかに、あなたは僕の先輩(せんぱい)さ。けれどもそれがどうしたの。」

「どうしたのじゃないじゃないか。僕がやっと体骼(たいかく)と人格を完成してほっと息をついてるとお前がすぐ僕の足もとでどんな声をしたと思うね。こんな工合(ぐあい)さ。もし、ホンブレンさま、ここの所で私もちっとばかり延びたいと思いまする。どうかあなたさまのおみあしさきにでも一寸取りつかせて下さいませ。まあこう云うお前のことばだったよ。」

楢ノ木学士は手を叩く。

「ははあ、わかった。ホンブレンさまと、一人はホルンブレンドだ。すると相手は誰だろう。わからんなあ。けれども、ふふん、こいつは面白い。いよいよ今日も問答がはじまった。しめ、しめ、これだから野宿はやめられん。」

大学士は煙草を新しく
一本出してマッチをする
声はいよいよ高くなる。

もっともいくら高くても
せいぜい蚊の軍歌ぐらいだ。

「それはたしかにその通りさ、けれどもそれに対してお前は何と答えたね。いいえ、そいつは困ります、どうかほかのお方とご相談下さいと斯んなに立派にはねつけたろう。」

「おや、とにかくさ。それでもお前はかまわず僕の足さきにとりついたんだよ。まあ、そんなこと出来たもんだろうかね。もっとも誰かさんは出来たようさ。」

「あてこするない。とりついたんじゃないよ。お前の足が僕の体骼の頭のとこにあったんだよ。僕はお前よりももっと前に生まれたジッコさんを頼んだんだよ。今だって僕はジッコさんは大事に大事にしてあげてるんだ。」

大学士はよろこんで笑い出す。

「はっはっは、ジッコさんというのは磁鉄鉱(じてっこう)だね、もうわかったさ、喧嘩(けんか)の相手はバイオタイトだ。して見るとなんでもこの辺にさっきの花崗岩(かこうがん)のかけらがあるね、そいつの中の鉱物がかやかや物を云(い)ってるんだね。」

なるほど大学士の頭の下に
支那(しな)の六銭銀貨のくらいの
みかげのかけらが落ちていた。

学士はいよいよにこにこする。

「そうかい。そんならいいよ。お前のような恩知らずは早く粘土(ねんど)になっちまえ。」

「おや、呪(のろ)いをかけたね。僕(ぼく)も引っ込(こ)んじゃいないよ。さあ、お前のような、」

「一寸(ちょっと)お待ちなさい。あなた方は一体何をさっきから喧嘩してるんですか。」

新しい二人の声が
一緒(いっしょ)にはっきり聞こえ出す。

「オーソクレさん。かまわないで下さい。あんまりこいつがわからないもんですからね。」

「双子(ふたご)さん。どうかかまわないで下さい。あんまりこいつが恩知らずなもんですからね。」

「ははあ、双晶(そうしょう)のオーソクレースが仲裁(ちゅうさい)に入った。これは実におもしろい。」

大学士はたきびに手をあぶり
顔中口にしてよろこんで云う。

二つの声が又聞こえる。

「まあ、静かになさい。僕たちは実に実に長い間堅く堅く結び合ってあのまっくらなまっくらなとこで一緒にまわりからのはげしい圧迫やすてきな強い熱にこらえて来たではありませんか。一時はあまりの熱と力にみんな一緒に気違いにでもなりそうなのをじっとこらえて来たではありませんか。」

「そうです、それは全くその通りです。けれども苦しい間は人をたのんで楽になると人をそねむのはぜんたいいい事なんでしょうか。」

「何だって。」

「ちょっと、ちょっと、ちょっとお待ちなさい。ね。そして今やっとお日さまを見たでしょう。そのお日さまも僕たちが前に土の底でコングロメレートから聞いたとは大へんなちがいではありませんか。」

「ええ、それはもうちがってます。コングロメレートのはなしではお日さまはまっかで空は茶いろなもんだと云っていましたが今見るとお日さまはまっ白で空はまっ青です。あの人はうそつきでしたね。」

双子の声が又聞こえた。

「さあ、しかしあのコングロメレートという方は前にただの砂利だったころはほんとうに空が茶いろだったかも知れませんね。」

「そうでしょうか。とにかくうそをつくこととひとの恩を仇でかえすのとはどっちも悪いことですね。」

「何だと、僕(ぼく)のことを云(い)ってるのかい。よしさあ、僕も覚悟(かくご)があるぞ。決闘(けっとう)をしろ、決闘を。」

「まあ、お待ちなさい。ね、あのお日さまを見たときのうれしかったこと。どんなに僕らは叫(さけ)んだでしょう。千五百万年　光というものを知らなかったんだもの。あの時鋼(はがね)の槌(つち)がギギンギギンと僕らの頭にひびいて来ましたね。遠くの方で誰(たれ)かが、ああお前たちもとうとうお日さまの下へ出るよと叫んでいた、もう僕たちの誰と誰とが一緒(いっしょ)になって誰と誰とがわかれなければならないか。一向判(いっこうわか)らなかったんですね。さよならさよならってみんな叫びましたねえ。そしたら急にパッと明るくなって僕たちは空へ飛びあがりましたねえ。あの時僕はお日さまの外に何か赤い光るものを見たように思うんですよ。」

「それは僕も見たよ。」

「僕も見たんだよ、何だったろうね、あれは。」

大学士は又(また)笑う。

「それはね、明らかにたがねのさきから出た火花だよ。パチッて云ったろう。そして熱かったろう。」

ところが学士の声などは

鉱物どもに聞こえない。

「そんなら僕たちはこれからさきどうなるでしょう。」

双子(ふたご)の声が又聞こえた。

「さあ、あんまりこれから愉快なことでもないようですよ。僕が前にコングロメレートから聞きましたがどうも僕らはこのまま又土の中にうずもれるかそうでなければ砂か粘土かにわかれてしまうだけなようですよ。この小屋の中に居たって安心にもなりません。内に居たって外に居たってたかが二千年もたって見れば結局おんなじことでしょう。」

大学士はすっかりおどろいてしまう。

「実にどうも達観してるね。この小屋の中に居たって外に居たってたかが二千年も経って見れば粘土か砂のつぶになる、実にどうも達観してる。」

その時俄かにピチピチ鳴り

それからバイオタが泣き出した。

「ああ、いた、いた、いた、いた、痛ぁい、いたい。」

「バイオタさん。どうしたの、どうしたの。」

「早くプラジョさんをよばないとだめだ。」

「ははあ、プラジョさんというのはプラジオクレースで青白いから医者なんだな。」

大学士はつぶやいて耳をすます。

「プラジョさん、プラジョさん。プラジョさん。」

「はあい。」

「バイオタさんがひどくおなかが痛がってます。どうか早く診て下さい。」

「はあい、なあにべつだん心配はありません。かぜを引いたのでしょう。」

「ははあ、こいつらは風を引くと腹が痛くなる。それがつまり風化だな。」

大学士は眼鏡をはずし
半巾で拭いて呟やく。

「プラジョさん。お早くどうか願います。只今気絶をいたしました。」

「はぁい。いまだんだんそっちを向きますから。ようっと。はい、はい。これは、なるほど。ふふん。一寸脈をお見せ、はい。こんどはお舌、ははあ、よろしい。そして第十八へきかい予備面が痛いと。なるほど、ふんふん、いやわかりました。どうもこの病気は恐いですよ。それにお前さんのからだは大地の底に居たときから慢性りょくでい病にかかって大分軟化してますからね、どうも恢復の見込がありません。」

病人はキシキシと泣く。

「お医者さん。私の病気は何でしょう。いつごろ私は死にましょう。」

「さよう、病人が病名を知らなくてもいいのですがまあ蛭石病の初期ですね、所謂ふう病の中の一つ。俗にかぜは万病のもとと云いますがね。それから、ええと、も一つのご質問はあなたの命でしたかね。さよう、まあ長くても一万年は持ちません。お気の毒ですが一万年は持ちません。」

「あああ、さっきのホンブレンのやつの呪いが利いたんだ。」

「いや、いや。そんなことはない。けだし、風病にかかって土になることはけだしすべて吾人に免かれないことですから。けだし。」

「ああ、プラジョさん。どんな手あてをいたしたらよろしゅうございましょうか。」

「さあ、そう云う工合に泣いているのは一番よろしくありません。からだをねじってあちこちのへきかいよび面にすきまをつくるのはなおさら、よろしくありません。その他風にあたれば病気のしょうけつを来します。日にあたれば病勢がつのります。霜にあたれば病勢が進みます。露にあたれば病状がこう進します。雪にあたれば症状が悪変します。じっとしているのはなおさらよろしくありません。それよりは、その、精神的に眼をつむって観念するのがいいでしょう、わがこの恐れるところの死なるものは、そもそも何であるか、その本質はいかん、生死巌頭に立って、おかしいぞ、はてな、おかしい、はて、これはいかん、あいた、いた、いた、いた、いた、」

「プラジョさん、プラジョさん、しっかりなさい。一体どうなすったのです。」

「うむ、私も、うむ、風病のうち、うむ、うむ。」

「苦しいでしょう、これはほんとうにお気の毒なことになりました。」

「うむ、うむ、いいえ、苦しくありません。うむ。」

「何かお手あていたしましょう。」

「うむ、うむ、実はわたくしも地面の底から、うむ、うむ、大分カオリン病にかかっていた、うむ、オーソクレさん、オーソクレさん。うむ、今こそあなたにも明します。あなたも丁度わたし同様の病気です。うむ。うむ。」

「ああ、やっぱりさようでございましたか。全く、全く、全く、実に、実に、あいた、いた、いた、いた。」

そこでホンブレンドの声がした。

「ずいぶん神経過敏（かびん）な人だ。すると病気でないものは僕（ぼく）とクォーツさんだけだ。」

「うむ、うむ、そのホンブレンもバイオタと同病。」

「あ、いた、いた、いた。」

「おや、おや、どなたもずいぶん弱い。健康なのは僕一人。」

「うむ、うむ、そのクォーツさんもお気の毒ですがクウショウ中の瓦斯（ガス）が病因です。うむ。」

「あいた、いた、いた、いた。た。」

「ずいぶんひどい医者だ。漢法の藪医（やぶい）だな。とうとうみんな風化（ふうか）かな。」

大学士は又（また）新しく
たばこをくわえてにやにやする。

耳の下では鉱物どもが
声をそろえて叫（さけ）んでいた。

「あ、いた、いた、いた、た、たた。」

みんなの声はだんだん低く
とうとうしんとしてしまう。

「はてな、みんな死んだのか。あるいは僕だけ聞こえなくなったのか。」

大学士はみかげのかけらを
手にとりあげてつくづく見て
パチッと向こうの隅（すみ）へ弾（はじ）く。

それから榾を一本くべた。
その時はもうあけ方で
大学士は背嚢から
巻煙草を二包み出して
榾のお礼に藁に置き
背嚢をしょい小屋を出た。
石切場の壁はすっかり白く
その西側の面だけに
月のあかりがうつっていた。

野宿第三夜

（どうも少し引き受けようが軽率だったな。グリーンランドの成金がびっくりする程立派な蛋白石などを、二週間でさがしてやろうなんてのは、実際少し軽率だった。

どうも斯う人の居ない海岸などへ来て、つくづく夕方歩いていると東京のまちのまん中で鼻の赤い連中などを相手にして、いい加減の法螺を吹いたことが全く情けなくなっちまう。どうだ、この頁岩の陰気なこと。全くいやになっちまうな。おまけに海も暗くなったし、なかなか、流紋玻璃にも出っ会わさない。それに今夜もやっぱり野宿だ。野宿も二晩ぐらいはいいが、三晩とな

っちゃうんざりするな。けれども、まあ、仕方もないさ。ビスケットのあるうちは、歩いて野宿
して、面白い夢でも見る分が得というもんだ。）
例の楢ノ木大学士が
衣嚢に両手を突っ込んで
少しせ中を高くして
つくづく考え込みながら
もう夕方の鼠いろの
頁岩の波に洗われる
海岸を大股に歩いていた。
全く海は暗くなり
そのほのじろい波がしらだけ
一列、何かけもののように見えたのだ。
いよいよ今日は歩いても
だめだと学士はあきらめて
ぴたっと岩に立ちどまり
しばらく黒い海面と
向こうに浮かぶ腐った馬鈴薯のような雲を
眺めていたが、又ポケットから

煙草（たばこ）を出して火をつけた。
それからくるっと振（ふ）り向いて
陸の方をじっと見定めて
急いでそっちへ歩いて行った。
そこには低い崖（がけ）があり
崖の脚（あし）には多分は濤（なみ）で
削（けず）られたらしい小さな洞（ほら）があったのだ。
大学士はにこにこして
中へはいって背嚢（はいのう）をとる。
それからまっくらなとこで
もしゃもしゃビスケットを喰（た）べた。
ずうっと向こうで一列濤が鳴るばかり。
「ははあ、どうだ、いよいよ宿がきまって腹もできると野宿もそんなに悪くない。さあ、もう一服やって寝（ね）よう。あしたはきっとうまく行く。その夢を今夜見るのも悪くない。」
大学士の吸う巻煙草が
ポツンと赤く見えるだけ、
「斯（こ）う納まって見ると、我輩（わがはい）もさながら、洞熊（ほらくま）か、洞窟（どうくつ）住人だ。ところでもう寝よう。
闇（やみ）の向こうで

濤（なみ）がぼとぼと鳴るばかり
　鳥も啼（な）かなきゃ
　洞（ほら）をのぞきに人も来ず、と。ふん、斯（こ）んなあんばいか。寝（ね）ろ　寝ろ。」

大学士はすぐとろとろする
疲（つか）れて睡（ねむ）れば夢も見ない
いつかすっかり夜が明けて
昨夜の続きの頁岩（けつがん）が
青白くぼんやり光っていた。
大学士はまるでびっくりして
急いで洞を飛び出した。
あわてて帽子（ぼうし）を落としそうになり
それを押（お）さえさえもした。

「すっかり寝過ごしちゃった。ところでおれは一体何のために歩いているんだったかな。ええと、よく思い出せないぞ。たしかに昨日（きのう）も一昨日（おととい）も人の居ない処（ところ）をせっせと歩いていたんだが。いや、もっと前から歩いていたぞ。もう一年も歩いているぞ。その目的はと、はてな、忘れたぞ。こいつはいけない。目的がなくて学者が旅行をするということはない、必ず目的があるのだ。化石じゃなかったかな。ええと、どうか第三紀の人類に就（つ）いてお調べを願います、と、誰（たれ）か云（い）ったようだ。いいや、そうじゃない、白堊紀（はくあき）の巨（おお）きな爬虫（はちゅう）類の骨骼（こっかく）を博物館の方から頼（たの）まれてあるんですがいかがでございましょう、一つお探しを願われますまいかと、斯うじゃなかったかな。斯うだ、斯うだ、ちがいない。さあ、ところでここは白堊系の頁岩だ。もうここでおれは探し出すつもりだったんだ。なるほど、はじめてはっきりしたぞ。さあ探せ、恐竜の骨骼だ。恐竜の骨骼だ。」

学士の影は
黒く頁岩の上に落ち
大股に歩いていたから
踊っているように見えた。
海はもの凄いほど青く
空はそれより又青く
幾きれかのちぎれた雲が
まばゆくそこに浮いていた。

「おや出たぞ。」
楢ノ木大学士が叫び出した。

その灰いろの頁岩の
平らな奇麗な層面に
直径が一　米　ばかりある
五本指の足あとが
深く喰い込んでならんでいる。

所々上の岩のために
かくれているが足裏の
皺までははっきりわかるのだ。
「さあ、見附けたぞ。この足跡の尽きた所には、きっとこいつが倒れたまま化石している。巨きな骨だぞ。まず背骨なら二十米はあるだろう。巨きなもんだぞ。」
大学士はまるで雀躍して
その足あとをつけて行く。
足跡はずいぶん続き
どこまで行くかわからない。
それに太陽の光線は赭く
たいへん足が疲れたのだ。
どうもおかしいと思いながら
ふと気がついて立ちどまったら
なんだか足が柔らかな
泥に吸われているようだ。
堅い頁岩の筈だったと思って
楢ノ木大学士はうしろを向いた。
そしたら全く愕いた。

さっきから一心に跡けて来た
巨きな、蟇の形の足あとは
なるほどずうっと大学士の
足もとまでつづいていて
それから先ももっと続くらしかったが
も一つ、どうだ、大学士の
銀座でこさえた長靴の
あともぞろっとついていた。
「こいつはひどい。我輩の足跡までこんなに深く入るというのは実際少し恐れ入った。けれども
それでも探求の目的を達することは達するな。少し歩きにくいだけだ。さあもう斯うなったらど
こまでだって追って行くぞ。」
学士はいよいよ大股に
その足跡をつけて行った。
どかどか鳴るものは心臓
ふいごのようなものは呼吸、
そんなに一生けん命だったが
又そんなにあたりもしずかだった。
大学士はふと波打ぎわを見た。

濤がすっかりしずまっていた。
たしかにさっきまで
寄せて吠えて砕けていた濤が
いつかすっかりしずまっていた。
「こいつは変だ。おまけにずいぶん暑いじゃないか。」
大学士はあおむいて空を見る。
太陽はまるで熟した苹果のようで
そこらも無暗に赤かった。
「ずいぶんいやな天気になった。それにしてもこの太陽はあんまり赤い。きっとどこかの火山が爆発をやった。その細かな火山灰が正しく上層の気流に混じて地球を包囲しているな。けれどもそれだからと云って我輩のこの追跡には害にならない。もうこの足あとの終わるところにあの途方もない爬虫の骨がころがってるんだ。我輩はその地点を記録する。もう一足だぞ。」
大学士はいよいよ勢いこんで
その足跡をつけて行く。
ところが間もなく泥浜は
岬のように突き出した。
「さあ、ここを一つ曲がって見ろ。すぐ向こう側にその骨がある。けれども事によったらすぐ無いかも知れない。すぐなかったらも少し追って行けばいい。それだけのことだ。」

大学士はにこにこ笑い
立ちどまって巻煙草を出し
マッチを擦って煙を吐く。
それからわざと顔をしかめ
ごくおうように大股に
岬をまわって行ったのだ。
ところがどうだ名高い楢ノ木大学士が
釘付けにされたように立ちどまった。
その眼は空しく大きく開き
その膝は堅くなってやがてふるえ出し
煙草もいつか泥に落ちた。
青ぞらの下、向こうの泥の浜の上に
その足跡の持ち主の
途方もない途方もない雷竜氏が
いやに細長い頸をのばし
汀の水を呑んでいる。
長さ十間、ざらざらの
鼠いろの皮の雷竜が

短い太い足をちぢめ
厭(いや)らしい長い頸(くび)をのたのたさせ
小さな赤い眼(め)を光らせ
チュウチュウ水を呑(の)んでいる。
あまりのことに楢(なら)ノ木大学士は
頭がしいんとなってしまった。
「一体これはどうしたのだ。中生代(ちゅうせいだい)に来てしまったのか。中生代がこっちの方へやって来たのか。ああ、どっちでもおんなじことだ。とにかくあすこに雷竜(らいりゅう)が居て、こっちさえ見ればかけて来る。大学士も魚も同じことだ。見るなよ、見るなよ。僕(ぼく)はいま、ごくこっそりと戻(もど)るから。どうかしばらく、こっちを向いちゃいけないよ。」
いまや楢ノ木大学士は
そろりそろりと後退(あとずさ)りして
来た方へ遁(に)げて戻る。
その眼はじっと雷竜を見
その手はそっと空気を押(お)す。
そして雷竜の太い尾が
まず見えなくなりその次に
山のような胴(どう)がかくれ

おしまい黒い舌（した）を出して
びちょびちょ水を呑んでいる
蛇（へび）に似たその頭がかくれると
大学士はまず助かったと
いきなり来た方へ向いた。
その足跡（あしあと）さえずんずんたどって
遁げてさえ行くならもう直（じ）きに
汀（なぎさ）に濤（なみ）も打って来るし
空も赤くはなくなるし
足あともももう泥（どろ）に食い込（こ）まない
堅（かた）い頁岩（けつがん）の上を行く。
崖（がけ）にはゆうべの洞（ほら）もある
そこまで行けばもう大丈夫（だいじょうぶ）
こんなあぶない探険などは
今度かぎりでやめてしまい
博物館へも断わらせて
東京のまちのまん中で
赤い鼻の連中などを

相手に法螺を吹いてればいい。
大体こんな計算だった。
それもまるきり電のような計算だ。
ところが楢ノ木大学士は
も一度ぎくっと立ちどまった。
その膝はもうがたがたと鳴り出した。
見たまえ、学士の来た方の
泥の岸はまるでいちめん
うじゃうじゃの雷竜どもなのだ。
まっ黒なほど居ったのだ。
長い頸を天に延ばすやつ
頸をゆっくり上下に振るやつ
急いで水にかけ込むやつ
実にまるでうじゃうじゃだった。
「もういけない。すっかりうまくやられちゃった。いよいよおれも食われるだけだ。大学士の号も一緒になくなる。雷竜はあんまりひどい。前にも居るしうしろにも居る。まあただ一つたよりになるのはこの岬の上だけだ。そこに登っておれは助かるか助からないか、事によったら新生代の沖積世が急いで助けに来るかも知れない。さあ、もうたったこの岬だけだぞ。」

学士はそっと岬にのぼる。
まるで蕈（きのこ）とあすなろとの
合の子みたいな変な木が
崖（がけ）にもじゃもじゃ生えていた。
そして本当に幸（さいわい）なことは
そこには雷竜が居なかった。
けれども折角（せっかく）登っても
そこらの景色は
あんまりいいというでもない、
岬の右も左の方も
泥の渚（なぎさ）は、もう一めんの雷竜だらけ
実にもじゃもじゃしていたのだ。
水の中でも黒い白鳥のように
頭をもたげて泳いだり
頸をくるっとまわしたり
その厭（いや）らしいこと恐（こわ）いこと
大学士はもう眼（め）をつぶった。
ところがいつか大学士は

自分の鼻さきがふっふっ鳴って
暖かいのに気がついた。
「とうとう来たぞ、喰われるぞ。」
大学士は観念をして眼をあいた。
大きさ二尺の四っ角な
まっ黒な雷竜の顔が
すぐ眼の前までにゅうと突き出され
その眼は赤く熟したよう。
その頸は途方もない向こうの
鼠いろのがさがさした胴まで
まるで管のように続いていた。
大学士はカーンと鳴った。
もう喰われたのだ、いやさめたのだ。
眼がさめたのだ、洞穴は
まだまっ暗で恐らくは
十二時にもならないらしかった。
そこで楢ノ木大学士は
一つ小さなせきばらいをし

まだ雷竜が居るようなので
つくづく闇をすかして見る。
外ではたしかに濤の音
「なあんだ。馬鹿にしてやがる。もう睡れんぞ。寒いなあ。」
又たばこを出す。火をつける。

楢ノ木大学士は宝石学の専門だ。
その大学士の小さな家
「貝の火兄弟商会」の
赤鼻の支配人がやって来た。
「先生お手紙でしたから早速とんで来ました。大へんお早くお帰りでした。ごく上等のやつをお見あたりでございましたか、何せ相手がグリーンランドの途方もない成金ですからありふれたものじゃなかなか承知しないんです。」
大学士は葉巻を横にくわえ
雲母紙を張った天井を
斜めに見ながらこう云った。
「うん探して来たよ、僕は一ぺん山へ出かけるともうどんなもんでも見附からんと云うことは断じてない、けだしすべての宝石はみな僕をしたってあつまって来るんだね。いやそれだから、此度（ど）なんかもまったくひどく困ったよ。殊（こと）に君注文が割合に柔（やわ）らかな蛋白石（たんぱくせき）だろう。僕（ぼく）がその山へ入ったら蛋白石どもがみんなざらざら飛びついて来てもうどうしてもはなれないじゃないか。それが君みんな貴蛋白石（プレシアスオーパル）の火の燃えるようなやつなんだ。望みのとおりみんな背嚢（はいのう）の中に納めてやりたいことはもちろんだったが、それでは僕も身動きもできなくなるのだから気の毒だったがその中からごくいいやつだけ撰（えら）んださ。」

「ははあ、そいつはどうも、大へん結構でございました。しかし、そのお持ち帰りになりました分はいずれでございますか。一寸（ちょっと）拝見をねがいとう存じます。」

「ああ、見せるよ。ただ僕はあんな立派なやつだから、事によったらもうすっかり曇（くも）ったじゃないかと思うんだ。実際蛋白石ぐらいたよりのない宝石はないからね。今日虹（にじ）のように光っている。あしたは白いただの石になってしまう。今日は円（まる）くて美しい。あしたは砕（くだ）けてこなごなだ。そいつだね、こわいのは。しかしとにかく開いて見よう。この背嚢さ。」

「なるほど。」

貝の火兄弟（けいてい）商会の
鼻の赤いその支配人は
こくっと息を呑（の）みながら
大学士の手もとを見つめている。
大学士はごく無雑作（ぞうさ）に
背嚢を逆（さか）さにした。

下等な玻璃蛋白石が
三十ばかりころげだす。
「先生、困るじゃありませんか。先生、これでは、何でも、あんまりじゃありませんか。」
楢ノ木大学士は怒り出した。
「何があんまりだ。僕の知ったこっちゃない。ひどい難儀をしてあるんだ。旅費さえ返せばそれでよかろう。さあ持って行け。帰れ、帰れ。」
大学士は上着の衣嚢から
鼠いろの皺くちゃになった状袋を
出していきなり投げつけた。
「先生困ります。あんまりです。」
貝の火兄弟商会の
赤鼻の支配人は云いながら
すばやく旅費の袋をさらい
上着の内衣嚢に投げ込んだ。
「帰れ、帰れ、もう来るな。」
「先生、困ります。あんまりです。」
とうとう貝の火兄弟商会の
赤鼻の支配人は帰って行き

大学士は葉巻（はまき）を横にくわえ
雲母紙（うんもし）を張った天井（てんじょう）を
斜（なな）めに見ながらにやっと笑う。

台川

だいがわ

「もうでかけましょう。」たしかに光がうごいてみんな立ちあがる、腰をおろしたみじかい草、かげろうか何かゆれている、かげろうじゃない、網膜が感じただけのその光だ、

「さあでかけましょう。行きたい人だけ。」まだ来ないものは仕方ない。さっきからもう二十分も待ったんだ。もっともこのみちばたの青いいろの寄宿舎はゆっくりして爽かでよかったが。

　これから又ここへ一遍帰って十一時には向こうの宿へつかなければいけないんだ。「何処さ行ぐのす。」そうだ、釜淵まで行くというのを知らないものもあるんだな。「釜淵まで、一寸三十分ばかり。」

　おとなしい新しい白、緑の中だから、そして外光の中だから大へんいいんだ。天竺木綿、その菓子の包みは置いて行ってもいい。雑嚢や何かもここの芝へおろして置いていい行かないものもあるだろうから。

「私はここで待ってますから。」校長だ。校長は肥ってまっ黒にいで立ちたしかにゆっくりみちばたの草、林の前に足を開いて投げ出している。

「はあ、では一寸行って参ります。」木の青、木の青、空の雲は今日も甘酸っぱく、足なみのゆ

れと光の波。足なみのゆれと光の波。

粘土のみちだ。乾いている。黄色だ。みち。粘土。

小松と林。林の明暗いろいろの緑。それに生徒はみんな新鮮だ。

そしてそうだ、向こうの崖の黒いのはあれだ、明らかにあの黒曜石のdykeだ。ここからこんなにはっきり見えるとは思わなかったぞ。

　よしうまい。

〔向こうの崖をごらんなさい。黒くて少し浮き出した柱のような岩があるでしょう。あれは水成岩の割れ目に押し込んで来た火山岩です。黒曜石です。〕ダイクと云おうかな。いいや岩脈がいい。〔ああいうのを岩脈といいます。〕わかったかな。

〔わかりましたか。向こうの崖に黒い岩が縦に突き出ているでしょう。

あれは水成岩のなかにふき出した火成岩ですよ。岩脈ですよ。あれは。〕

ゆれてるゆれてる。光の網。

〔この山は流紋凝灰岩でできています。石英粗面岩の凝灰岩、大へん地味が悪いのです。赤松とちいさな雑木しか生えていないでしょう。ところがそのへん、麓の緩い傾斜のところには青い立派な濶葉樹が一杯生えているでしょう。あすこは古い沖積扇です。運ばれて来たのです。割合肥沃な土壌を作っています。木の生え工合がちがって見えましょう。わかりましょう。〕わかるだろうさ。けれどもみんな黙って歩いている。これがいつでもこうなんだ。さびしいんだ。けれども何でもないんだ。

　後ろで誰かこごんで石ころを拾っているものもある。小松ばやしだ。混んでいる。このみちはずうっと上流まで通っているんだ。造林のときは苗や何かを一杯つけた馬がぞろぞろここを行くんだぞ。

〔志戸平のちかく豊沢川の南の方に杉のよくついた奇麗な山があるでしょう。あすとこことはとても木の生え工合や較べにも何にもならないでしょう。向こうは安山岩の集塊岩、こっちは流紋凝灰岩です。石灰や加里や植物養料がずうっと少ないのです。ここにはとても杉なんか育たないのです。〕うしろでふんふんうなずいているのは藤原清作だ。あいつは太田だからよくわかっているのだ。

〔尤も向こうの杉のついているところは北側でこっちは南と東です。その関係もありますがそうでなくてもこっちは北側でも杉やひのきは生えません。あすこの崖で見てもわかります。この山と地質は同じです。ただ北側なため雑木が少しはよく育ってます。〕いいや駄目だ。おしまいのことを云ったのは結局混雑させただけだ。云わないで置けばよかった。それでもあの崖はほんとうの嫩い緑や、灰いろの芽や、樺の木の青やずいぶん立派だ。佐藤箴がとなりに並んで歩いてるな。桜羽場が又凝灰岩を拾ったな。頬がまっ赤で髪も赭いその小さな子供。

　雲がきれて陽が照るしもう雨は大丈夫だ。さっきも一遍云ったのだがもう一度あの禿の所の平べったい松を説明しようかな。平ったくて黒い。影も落ちている。どこかであんなコロタイプを見た。及川やなんか知ってるんだ。よすかな。いいや。やろう。

〔さあ、いいですか。あすこに大きな黄色の禿げがあるでしょう。あすこの割合上のあたりに松が一本生えてましょう。平ったくてまるで潰れた蕈のようです。どうしてあんなになったんですか。土壌が浅くて少し根をのばすとすぐ岩石でしょう。下へ延びようとしても出来ないでしょう。横に広がるだけでしょう。ところが根と枝は相関現象で似たような形になるんです。枝も根のように横にひろがります。桜の木なんか植えるとき根を束ねるようにしてまっすぐに下げて植えると土から上の方も箒のように立ちましょう。広げれば広がります。〕

「そんだ。林学でおら習った。」何と云ったかな。このせいの高い眼の大きな生徒。

坂になったな。ごろごろ石が落ちている。

「先生この石何て云うのす。」どうせきまってる。

〔凝灰岩。流紋凝灰岩だ。凝灰岩の温泉の為に硅化を受けたのだ。〕

光が網になってゆらゆらする。みんなの足並。小松の密林。

「釜淵だら俺ぁ前になんぼがえりも見だ。それでも今日も来た。」

うしろで云っている。あの顔の赤い、そしていつでも少し眼が血走ってどうかすると泣いているように見える、あの生徒だ。五内川でもないし、何と云ったかな。

けれどもその語はよく分っているぞ。よくわかっているとも。

巨礫がごろごろしている。一つ欠いて見せるかな。うまくいった。パチンといった。〔これは安山岩です。上流の方から流れて来たのです。〕

すっと歩き出せ。関さんだ。「この石は安山岩であります。上流から流れて来たのです。」まねをしている。堀田だな。堀田は赤い毛糸のジャケツを着ているんだ。物を言う口付きが覚束なくて眼はどこを見ているかはっきりしないで黒くてうるんでいる。今はそれがうしろの横でちらっと光る。

そこの松林の中から黒い畑が一枚出て来ます。

（ああ畑も入ります入ります。遊園地には畑もちゃんと入ります）なんて誰だったかな、云っていた、あてにならない。こんな畑を云うんだろう。おれのはもっとずっと上流の北上川から遠くの東の山地まで見はらせるようにあの小桜山の下の新しく墾いた広い畑を云ったんだ。

「全体どごさ行ぐのだべ。」

「なあに先生さ従いでさぃ行げばいいんだじゃ。」又堀田だな。前の通りだ。うしろで黄いろに光っている。みんな躊躇してみちをあけた。おれが一番さきになる。こっちもみちはよく知らないがなあにすぐそこなんだ。路から見えたら下りるだけだ。

防火線もずうっとうしろになった。

〔あれが小桜山だろう。〕けわしい二つの稜を持ち、暗くて雲かげにいる。少し名前に合わない。けれどもどこかしんとして春の底の樺の木の気分はあるけれどもそれは偶然性だ。よくわからない。みちが二つに岐れている。この下のみちがきっと釜淵に行くんだ。もうきっと間違いない。

小松だ。密だ。混んでいる。それから巨礫がごろごろしている。うすぐろくて安山岩だ。地質調査をするときはこんなどこから来たかわからないあいまいな岩石に鉄槌を加えてはいけないと教えようかな。すぐ眼の前を及川が手拭を首に巻いて黄色の服で急いでいるし、云おうかな。けれどもこれは必要がない。却って混雑するだけだ。とにかくひどく坂になった。こんな工合で丁度よく釜淵に下りるんだ。遠くで鳥も鳴いているし。下の方で渓がひどく鳴っている。事によるとここらの下が釜淵だ。一寸のぞいて見よう。

黒い松の幹とかれくさ。みんなぞろぞろ従いて来る。渓が見える。水が見える。波や白い泡も見える。ああまだ下だ。ずうっと下だ。釜淵は。ふちの上の滝へ平らになって水がするする急いで行く。それさえずうっと下なのだ。

この崖は急でとても下りられない。下に降りよう。松林だ。みちらしく踏まれたところもある。下りて行こう。藪だ。日陰だ。山吹の青いえだや何かもじゃもじゃしている。さきに行くのは大内だ。大内は夏服の上に黄色な実習服を着て結びを腰にさげてずんずん藪をこいで行く。よくこいで行く。

急にけわしい段がある。木につかまれ木は光る。雑木は二本雑木が光る。

「じゃ木さば保ご附くこなしだじゃい。」誰かがうしろで叫んでいる。どういう意味かな。木にとりつくと弾ね返ってうしろのものを叩くというのだろうか。

光って木がはねかえる。おれはそんなことをしたかな。いやそれはもうよく気をつけたんだ。

藪だ。もじゃもじゃしている。大内はよくあるく。

崖だ。滝はすぐそこだし、ここを下りるより仕方ない。さあ降りよう。大内はよく降りて行く。急だぞ。この木は少し太すぎる。灰いろだ。急だぞ、草、この木は細いぞ、青いぞあぶないぞ。なかなか急だ。大丈夫だ。この木は切ってあるぞ。〔ほう、〕そこはあんまり急だ。

おりるのか。仕方ない。木がめまぐるしいぞ。「一人落ぢればみんな落ぢるぞ。」誰かうしろで叫んでいる。落ちて来たら全くみんな落ちる。大内がずうっと落ちた。河原まで行ってやっととまった。

おれはとにかく首尾よく降りた。


少し下へさがり過ぎた。瀑まで行くみちはない。

凝灰岩が青じろく崖と波との間に四五寸続いてはいるけれどもとてもあすこは伝って行けない。

それよりはやっぱり水を渉って向こうへ行くんだ。向こうの河原は可成広いし滝までずうっと続いている。

けれども脚はやっぱりぬれる。折角ぬらさない為にまわり道して上から来たのだ、飛石を一つこさえてやるかな。二つはそのまま使えるしもう四つだけころがせばいい、まずおれは靴をぬごう。ゴム靴によごれた青の靴下か。〔一寸待って、今渡るようにしますから。〕

この石は動かせるかな。流紋岩だかなりの比重だ。動くだろう。水の中だし、アルキメデス、水の中だし、動く動く。うまく行った。波、これも大丈夫だ。大丈夫。引率の教師が飛石をつくるのもおかしいが又えらい。やっぱりおかしい。ありがたい。うまく行った。

ひとりが渡る。ぐらぐらする。あぶなく渡る、二人がわたる。

もう一つはどれにするかな。もう四人だけ渡っている。飛石の上に両あしを揃えてきちんと立って四人つづいて待っているのは面白い。向こうの河原のを動かそう。影のある石だ。

持てるかな。持てる。けれども一番波の強いところだ。恐らく少し小さいぞ。小さい。波が昆布だ、越して行く。もう一つ持って来よう。こいつは苔でぬるぬるしている。これで二つだ。まだぐらぐらだ。も一つ要る。小さいけれども台にはなる。大丈夫だ。

おれははだしで行こうかな。いいややっぱり靴ははこう。面倒くさい靴下はポケットへ押し込め、ポケットがふくれて気持ちがいいぞ。

素あしにゴム靴でぴちゃぴちゃ水をわたる。これはよっぽどいいことになっている。前にも一ぺんどこかでこんなことがあった。去年の秋だ。腐植質の野原のたまり水だったかもしれない。向こうに黒いみちがある。崖の茂みにはいって行く。これが羽山を越えて台に出るのかもわからない。帰りに登るとしようかな。いいや。だめだ。曖昧だしそれにみんなも越えれまい。

「先生、この石何す。」一かけひろって持っている。「ふん。何だと思います。」「何だべな。」「凝灰岩です。ここらはみんなそうですよ。浮岩質の凝灰岩。」

みんなさっきはあしをぬらすまいとしたんだが日が照るし水はきれいだし自分でも気がつかず川にはいったんだ。

もうずんずん瀑をのぼって行く。cascadeだ。こんな広い平らな明るい瀑はありがたい。上へ行ったらもっと平らで明るいだろう。けれども壺穴の標本を見せるつもりだったが思ったくらいはっきりはしていないな。多少失望だ。岩は何という円くなめらかに削られたもんだろう。水苔も生えている。滑るだろうか。滑らない。ゴム靴の底のざりざりの摩擦がはっきり知れる。滑らない。大丈夫だ。さらさら水が落ちている。靴はビチャビチャ云っている。みんないい。それにみんなは後からついて来る。

苔がきれいにはえている。実に円く柔らかに水がこの瀑のところを削ったもんだ。この浸蝕の柔らかさ。

もう平らだ。そうだ。いつかもここを溯って行った。いいや、此処じゃない。けれどもずいぶんよく似ているぞ。川の広さも両岸の崖、ところどころの洲の青草。もう平らだ。みんな大分溯ったな。

〔ここをごらんなさい。岩石の裂け目に沿って赤く色が変わっているでしょう。裂け目のないところにも赤い条の通っているところがあるでしょう。この裂け目を温泉が通ったのです。温泉の作用で岩が赤くなったのです。ここがずうっとつちの底だったときですよ。わかりますか。〕

だまっている。波がうごき波が足をたたく。日光が降る。この水を渉ることの快さ。菅木がいるな。いつものようにじっとひとの目をみつめている。

〔ここをごらんなさい。岩に裂け目があるでしょう。ここを温泉が通って岩を変質させたのです。風化のためにも斯う云う赤い縞はできます。けれどもここではほかのことから温泉の作用ということがわかるのです。〕

ずいぶん上流まで行った。実際斯んなに川床が平らで水もきれいだし山の中の第一流の道路だ。どこまでものぼりたいのはあたりまえだ。

向こうの岸の方にうつろう。

「先生この岩何す。」千葉だな。お父さんによく似ている。〔何に似てます。何でできてますか。〕だまっている。〔わかりませんか。礫岩です。礫岩です。凝灰質礫岩。〕

及川だな。〔いいですか。これは温泉の作用ですよ。この裂け目を通った温泉のために凝灰岩が変質を受けたんです。〕

みんなわかるんだな。これは。向こうにも一つ滝があるらしい。うすぐろい岩の。みんなそこまで行こうと云うのか。草原があって春木も積んである。ずいぶん溯ったぞ。ここは小さな段だ。

「ああ云う岩のすき間のごと何て云うのだたべな。習ったたんとも。」

〔やっぱり裂け目です。裂け目でいいんです。〕習ったというのは節理だな。節理なら多面節理、これを節理と云うわけにはいかない。裂罅だ。やっぱり裂け目でいいんだ。

壺穴のいいのがなくて困るな。少し細長いけれどもこれで説明しようか。elongated pot-hole

〔ここがどうしてこう掘れるかわかりますか。石ころ、礫がこれを掘るのです。そら、水のために礫がごろごろするでしょう。だんだん岩を掘るでしょう。深いところが一層深くなる筈です。もっと大きなのもあります。〕

日光の波、日光の波、光の網と、水の網。

「ほこの穴こまん円けじゃ。先生。」

ああいい、これはいい標本だ。こいつなら持って来いだ。

〔さあ、見て下さい。これはいい標本です。そら。この中に石ころが入ってましょう。みんな円くなってるでしょう。水ががりがり擦ったんです。そら。そら。〕

実にいい礫だ。まっ白だ。まん円だ水でぬれている。取ってしまった。誰かが又掻き廻す。もうない。あとは茶色だし少し角もある。ああいいな。こんなありがたい。

あんまり溯る。もう帰ろう。校長もあの路の岐れ目で待っている。

〔ほお。戻れ。ほお。〕向こうの崖は明るいし声はよく出ない。聞こえないようだ。市野川やぐんぐんのぼって行く。〔ほお、〕「戻れど。お。」「戻れ。」

向いた向いた。一人向けばもういい。川を戻るよりはここからさっきの道へのぼった方がいい、傾斜もゆるく丁度のぼれそうだ。〔みんなそこからあの道へ出ろ。〕

手を振った方がわかるな。わかったわかったわかったようだ。市野川が崖の上のみちを見ている。


うしろの滝の上で誰か叫んでいる。大竹だ。「おら荷物置いで来たがらこっちがら行ぐ。」よかろう。〔よおし。〕もう大竹が滝をおりて行く。すばやいやつだ。二三人又ついて行く。それからも一人おくれてひどく心配そうに背中をかがめて下りて行く。斉藤貞一かな。一寸こっちを見たところには栗鼠の軽さもある。ほんとうに心配なんだ。かあいそう。

市野川やみんながぞろぞろ崖をみちの方へ上って行くらしい。

そうすればおれはやっぱり川を下った方がいいんだ。もしも誰か途中で止っていてはわるい。尤も靴下もポケットに入っているし必ず下らなければならないということはない、けれどもやっぱりこっちを行こう。ああいい気持だ。鉄槌を斯んなに大きく振って川をあるくことはもう何年ぶりだろう。波が足をあらい水はつめたく陽は射している。

「先生ぁ、ずいぶん足ぁ早ぃな。」富手かな、菅木(すがき)かな、あんなことを云(い)っている。足が早いというのは道をあるくときの話だ。ここも平らで上等の歩道なのだ。ただ水があるばかり。

「先生、あの崖(がけ)のどご色変わってるのぁ何してす。」箇だ。崖の色か。

〔あれは向こうだけは土が落ちたんです。滑(すべ)って。〕

うん。あるある。これが裂罅(れっか)を温泉の通った証拠(しょうこ)だ。玻璃蛋白石(はりたんぱくせき)の脈だ。

〔ここをごらんなさい。岩のさけ目に白いものがつまっているでしょう。これは温泉から沈澱(ちんでん)したのです。石英(せきえい)です。岩のさけ目を白いものが埋(う)めているでしょう。いい標本です。〕みんなが囲む。水の中だ。

「取らえなぃがべが。」「いいや、此処(ここ)このまんまの標本だ。」

「それでも取らえなぃがべが。」〔取って見ますか。取れます。〕

中々(なかなか)面倒だ。

「先生こっちにもっと大きなのあるんす。」あるある。これならネストと云ってもいい。これなら取れる。ハムマアの尖(とが)った方ではだめだ。平(ひら)たい方は……。

水がぴちゃぴちゃはねる。そっちの方のものが逃げる、ふん。

〔水がはねますか。やっぱりこっちでやるかな。〕

白く岩に傷がついた。二所(ふたところ)ついた。

とれる。とれた。うまい。新鮮だ。青白い。

緑簾石(りょくれんせき)もついている。そうじゃないこれは苔(こけ)だ。〔いいですか。これは玻璃蛋白石です。温泉

から沈澱したのです。晶洞もあります。小さな石英の結晶です。持っておいでなさい。〕
誰だ崖の上で叫んでいるのは。
「先生。おら河童捕りしたもや。河童捕り。」藤原健太郎だ。黒の制服を着て雑嚢をさげ、ひどくはしゃいで笑っている。どうしていまごろあんな崖の上などに顔を出したのだ。
「先生。下りで行ぐべがな。先生。よし、下りで行ぐぞ。」
〔うん。大丈夫。大丈夫だ。〕おりるおりる。がりがりやって来るんだな。ただそのおしまいの一足だけがあぶないぞ。裸の青い岩だし急だ。
〔おおい。もう少し斜におりろ。〕おりるおりる。どんどん下りる。もう水へ入った。〔どうしたのです。〕「先生。河童捕りあんすた。ガバンも何も、すっかりぬらすたも。」〔どこで。……〕
もう下ろう。滝に来た。下りているものもある。水の流れる所は苔は青く流れない所は褐色だ。みんなこわごわ下りて来る。水の流れる所は大丈夫滑らないんだ。〔水の流れるところをあるきなさい。水の流れるところがいいんです。〕
あれは葛丸川だ。足をさらわれて淵に入ったのは。いいや葛丸川じゃない。空想のときの暗い谷だ。どっちでもいい。水がさあさあ云っている。「いいな。あそこの水の跳ね返る処よ。」
うん、いい早池峯山の七折の滝だってこんなのの大きなだけだろう。
もうみんなおりる。おれもおりる。たった一人あとからやって来る人がある。こわそうだ。
〔水の流れるところをあるくんです。水の流れる所を歩くんですよ。〕
そうだ。そうだ。いい気持ちだ。

イーハトーボ農学校の春

いーはとーぼのうがっこうのはる

太陽マジックのうたはもう青ぞらいっぱい、ひっきりなしにごうごうごうごうごう鳴っています。

わたしたちは黄いろの実習服を着て、くずれかかった煉瓦（れんが）の肥溜（こえだめ）のとこへあつまりました。

冬中いつも唇（くちびる）が青ざめて、がたがたふるえていた阿部時夫（あべときお）などが、今日はまるでいきいきした顔いろになってにかにかにかにかにか笑っています。ほんとうに阿部時夫なら、冬の間からだが悪かったのではなくて、シャツを一枚しかもっていなかったのです。それにせいが高いので、教室でもいちばん火に遠いこわれた戸のすきまから風のひゅうひゅう入って来る北東（きたひがし）の隅（すみ）だったのです。

けれども今日は、こんなにそらがまっ青で、見ているとまるでわくわくするよう、かれくさも桑（くわ）ばやしの黄いろの脚（あし）もまばゆいくらいです。おまけに堆肥（たいひ）小屋の裏の二（ふた）きれの雲は立派に光っていますし、それにちかくの空ではひばりがまるで砂糖水のようにふるえて、すきとおった空気いっぱいやっているのです。もう誰だって胸中からもくもく湧いてくるうれしさに笑い出さないでいられるでしょうか。そうでなければ無理に口を横に大きくしたり、わざと額をしかめたりしてそれをごまかしているのです。

（コロナは六十三万二百

……

……

ああきれいだ、まるでまっ赤な花火のようだよ。）

それはリシウムの紅焔でしょう。ほんとうに光炎菩薩太陽マジックの歌はそらにも地面にもちからいっぱい、日光の小さな小さな菫や橙や赤の波といっしょに一生けん命に鳴っています。カイロ男爵だって早く上等の絹のフロックを着て明るいとこへ飛びだすがいいでしょう。

楊の木の中でも樺の木でも、またかれくさの地下茎でも、月光いろの甘い樹液がちらちらゆれだし、早い萱草やつめくさの芽にはもう黄金いろの小さな澱粉の粒がつうつう浮いたり沈んだりしています。

（……

コロナは三十七万十九

……

……

くずれかかった煉瓦(れんが)の肥溜(こえだめ)の中にはビールのように泡(あわ)がもりあがっています。さあ順番に桶(おけ)に汲(く)み込(こ)もう。そこらいっぱいこんなにひどく明るくて、ラジウムよりももっとはげしく、そしてやさしい光の波が一生けん命一生けん命ふるえているのに、いったいどんなものがきたなくてどんなものがわるいのでしょうか。もうどんどん泡があふれ出してもいいのです。青ぞらいっぱい鳴っているあのりんとした太陽マジックの歌をお聴(き)きなさい。

(コロナは六十七万四千)

……

……

さあ、ではみんなでこいつを下台(しただい)の麦ばたけまで持って行こう、こっちの崖(がけ)はあんまり急ですからやっぱり女学校の裏をまわって楊(やなぎ)の木のあるとこの坂をおりて行きましょう。大丈夫(だいじょうぶ)二十分かかりません。なるべくせいの似たような人と、二人で一つずつかついで下さい。そうです、町の裏を通って行くのです。阿部君はいっしょに行くひとがない、それはぼくといっしょに行こう。ああ鳴っている、鳴っている、そこらいちめん鳴っている太陽マジックの歌をごらんなさい。

（𝄞……

𝄞……

コロナは八十三万五百

𝄞……

𝄞……）

まぶしい山の雪の反射です。わたくしがはたらきながら、また重いものをはこびながら、手で水をすくうことも考えることのできないときは、そこから白びかりが氷のようにわたくしの咽喉に寄せてきて、こくっとわたくしの咽喉を鳴らし、すっかりなおしてしまうのです。それにいまならぼくたちの膝はまるで上等のばねのようです。去年の秋のようにあんなつめたい風のなかなら仕事もずいぶんひどかったのですけれども、いまならあんまり楽でただ少し肩の重苦しいのをこらえるだけです。それだって却って胸があつくなっていい気持なくらいです。

（コロナは六十三万十五

……

……）

おおこまどり、鳴いて行く鳴いて行く、音譜のように飛んで行きます。赤い上着でどこまで今日はかけて行くの。いいねえ、ほんとうに、

かえれ、こまどり、アカシヤづくり。

赤の上着に野やまを越えて

（……

……

コロナは三十七万二千

……）

そこの角から赤髪の子供がひとり、こっちをのぞいてわらっています。おい、大将、証書はちゃんとしまったかい。筆記帳には組と名前を楷書で書いてしまったの。

さあ、春だ、うたったり走ったり、とびあがったりするがいい。風野又三郎だって、もうガラ

スのマントをひらひらさせ大よろこびで髪（かみ）をぱちゃぱちゃやりながら野はらを飛んであるきながら春が来た、春が来たをうたっているよ。ほんとうにもう、走ったりうたったり、飛びあがったりするがいい。ぼくたちはいまいそがしいんだよ。

（コロナは八万三千十九

……

……　　）

砂土（すなつち）がやわらかないい匂（にお）いの息をはいています。いままでやすんでいた虫どもが、ぼんやりといま眼（め）をさまし、しずかに息をするらしいのです。麦はつやつや光っています。雪の下からうまくとけて出て青い麦です。早く走って行こう、かけさえしたらすぐに麦は吸い込（こ）むのだ。

（コロナは八万三千十九）

わたくしたちが柄杓（ひしゃく）で肥（こえ）を麦にかければ、水はどうしてそんなにまだ力も入れないうちに水銀（すいぎん）のように青く光り、たまになって麦の上に飛びだすのでしょう、また砂土がどうしてあんなにのどの乾（かわ）いた子どもの水を呑（の）むように肥を吸い込むのでしょう。もうほんとうにそうでなければならないから、それがただひとつのみちだからひとりでどんどんそうなるのです。

（コロナは十万八千二百

……

……　）

こんどは帰りはわたくしたちは近みちをしてあの急な坂をのぼりましょう。あすこの坂なら杉の木が昆布かびろうどのようです。阿部君、だまってそらを見ながらあるいていて一体何を見ているの。そうそう、青ぞらのあんな高いとこ、巻雲さえ浮かびそうに見えるとこを、三羽の鷹かなにかの鳥が、それとも鶴かスワンでしょうか、三またの槍の穂のようにはねをのばして白く光ってとんで行きます。

（コロナは三十七万二百

……

……　）

おや、このせきの去年のちいさな丸太の橋は、雪代水で流れたな、からだだけならすぐ跳べるんだが肥桶をどうしような。阿部君、まず跳び越えてください。うまい、少しぐちゃっと苔にはいったけれども、まあいいねえ、それではぼくはいまこっちで桶をつるすから、そっちでとって呉れ給え。そら、重い、ぼくは起重機の一種だよ。重い、ほう、天びん棒がひとりでに、磁石のように君の手へ吸い着いて行った。太陽マジックなんだほんとうに。うまい。

（……

……）

楊（やなぎ）の木でも樺（かば）の木でも、燐光（りんこう）の樹液（じゅえき）がいっぱい脈をうっています。

イギリス海岸

いぎりすかいがん

夏休みの十五日の農場実習の間に、私どもがイギリス海岸とあだ名をつけて、二日か三日ごと、仕事が一きりつくたびに、よく遊びに行った処がありました。

それは本とうは海岸ではなくて、いかにも海岸の風をした川の岸です。北上川の西岸でした。東の仙人峠から、遠野を通り土沢を過ぎ、北上山地を横截って来る冷たい猿ヶ石川の、北上川への落合から、少し下流の西岸でした。

イギリス海岸には、青白い凝灰質の泥岩が、川に沿ってずいぶん広く露出し、その南のはじに立ちますと、北のはずれに居る人は、小指の先よりもっと小さく見えました。

殊にその泥岩層は、川の水の増すたんび、奇麗に洗われるものですから、何とも云えず青白くさっぱりしていました。

所々には、水増しの時できた小さな壺穴の痕や、またそれがいくつも続いた浅い溝、それから亜炭のかけらだの、枯れた蘆きれだのが、一列にならんでいて、前の水増しの時にどこまで水が上がったかもわかるのでした。

日が強く照るときは岩は乾いてまっ白に見え、たて横に走ったひび割れもあり、大きな帽子を冠ってその上をうつむいて歩くなら、影法師は黒く落ちましたし、全くもうイギリスあたりの白堊の海岸を歩いているような気がするのでした。

町の小学校でも石の巻の近くの海岸に十五日も生徒を連れて行きましたし、隣りの女学校でも臨海学校をはじめていました。

けれども私たちの学校ではそれはできなかったのです。ですから、生まれるから北上の河谷の上流の方にばかり居た私たちにとっては、どうしてもその白い泥岩層をイギリス海岸と呼びたかったのです。

それに実際そこを海岸と呼ぶことは、無法なことではなかったのです。なぜならそこは第三紀と呼ばれる地質時代の終わり頃、たしかにたびたび海の渚だったからでした。その証拠には、第一にその泥岩は、東の北上山地のへりから、西の中央分水嶺の麓まで、一枚の板のようになってずうっとひろがって居ました。ただその大部分がその上に積もった洪積の赤砂利や壚坶、それから沖積の砂や粘土や何かに被われて見えないだけのはなしでした。それはあちこちの川の岸や崖の脚には、きっとこの泥岩が顔を出しているのでもわかりましたし、又所々で掘り抜き井戸を穿ったりしますと、じきこの泥岩層にぶっつかるのでもしれました。

第二に、この泥岩は、粘土と火山灰とまじったもので、しかもその大部分は静かな水の中で沈んだものなことは明らかでした。たとえばその岩には沈んでできた縞のあること、木の枝や茎のかけらの埋もれていること、ところどころにいろいろな沼地に生える植物が、もうよほど炭化してはさまっていること、また山の近くには細かい砂利のあること、殊に北上山地のへりには所々この泥岩層の間に砂丘の痕らしいものがはさまっていることなどでした。そうして見ると、いま北上の平原になっている所は、一度は細長い幅三里ばかりの大きなたまり水だったのです。

　ところが、第三に、そのたまり水が塩からかった証拠もあったのです。それはやはり北上山地のへりの赤砂利から、牡蠣や何か、半鹹のところにでなければ住まない介殻の化石が出ました。

　そうして見ますと、第三紀の終わり頃、それは或いは今から五六十万年或いは百万年を数えるかも知れません、その頃今の北上の平原にあたる処は、細長い入海か鹹湖で、その水は割合浅く、何万年の永い間には処々水面から顔を出したり又引っ込んだり、火山灰や粘土が上に積もったり又それが削られたりしていたのです。その粘土は西と東の山地から、川が運んで流し込んだのでした。その火山灰は西の二列か三列の石英粗面岩の火山が、やっとしずまった処ではありましたが、やっぱり時々噴火をやったり爆発をしたりしていましたので、そこから降って来たのでした。

　その頃世界には人はまだ居なかったのです。殊に日本はごくごくこの間、三四千年前までは、全く人が居なかったと云いますから、もちろん誰もそれを見てはいなかったでしょう。その誰も見ていない昔の空がやっぱり繰り返し繰り返し曇ったり又晴れたり、海の一とこがだんだん浅くなってとうとう水の上に顔を出し、そこに草や木が茂り、ことにも胡桃の木が葉をひらひらさせ、ひのきやいちいがまっ黒にしげり、しげったかと思うと忽ち西の方の火山が赤黒い舌を吐き、軽石の火山礫は空もまっくらになるほど降って来て、木は圧し潰され、埋められ、まもなく又水が被さって粘土がその上につもり、全くまっくらな処に埋められたのでしょう。考えても変な気がします。そんなことほんとうだろうかとしか思われません。ところがどうも仕方ないことは、私たちのイギリス海岸では、川の水からよほどはなれた処に、半分石炭に変わった大きな木の根株が、その根を泥岩の中に張り、そのみきと枝を軽石の火山礫層に圧し潰されて、ぞろっとならんでいました。尤もそれは間もなく日光にあたってぼろぼろに裂け、度々の出水に次から次と削られては行きましたが、新しいものも又出て来ました。そしてその根株のまわりから、ある時私たちは四十近くの半分炭化したくるみの実を拾いました。それは長さが二寸位、幅が一寸ぐらい、非常に細長く尖った形でしたので、はじめは私どもは上の重い地層に押し潰されたのだろうとも思いましたが、縦に埋まっているのもありましたし、やっぱりはじめからそんな形だとしか思われませんでした。

それからはんの木の実も見附かりました。小さな草の実もたくさん出て来ました。

この百万年昔の海の渚に、今日は北上川が流れています。昔、巨きな波をあげたり、じっと寂まったり、誰も誰も見ていない所でいろいろに変わったその巨きな鹹水の継承者は、今日は波にちらちら火を点じ、ぴたぴた昔の渚をうちながら夜昼南へ流れるのです。

ここを海岸と名をつけたってどうしていけないといわれましょうか。

それにも一つここを海岸と考えていいわけは、ごくわずかですけれども、川の水が丁度大きな湖の岸のように、寄せたり退いたりしたのです。それは向こう側から入って来る猿ヶ石川とこちらの水がぶっつかるためにできるのか、それとも少し上流がかなりけわしい瀬になってそれがこの泥岩層の岸にぶっつかって戻るためにできるのか、それとも全くほかの原因によるのでしょうか、とにかく日によって水が潮のように差し退きするときがあるのです。

そうです。丁度一学期の試験が済んでその採点も終わりあとは三十一日に成績を発表して通信簿を渡すだけ、私の方から云えばまあそうです、農場の仕事だってその日の午前で麦の運搬も終わり、まあ一段落というそのひるすぎでした。私たちは今年三度目、イギリス海岸へ行きました。瀬川の鉄橋を渡り牛蒡や甘藍が青白い葉の裏をひるがえす畑の間の細い道を通りました。

みちにはすずめのかたびらが穂を出していっぱいにかぶさっていました。私たちはそこから製板所の構内に入りました。製板所の構内だということはもくもくした新しい鋸屑が敷かれ、鋸の音が気まぐれにそこを飛んでいたのでわかりました。鋸屑には日が照って恰度砂のようでした。砂の向こうの青い水と救助区域の赤い旗と、向こうのブリキ色の雲とを見たとき、いきなり私どもはスウェーデンの峡湾にでも来たような気がしてどきっとしました。たしかにみんなそう云う気もちらしかったのです。製板の小屋の中は藍いろの影になり、白く光る円鋸が四五梃壁にならべられ、その一梃は軸にとりつけられて幽霊のようにまわっていました。

私たちはその横を通って川の岸まで行ったのです。草の生えた石垣の下、さっきの救助区域の赤い旗の下には筏もちょうど来ていました。花城や花巻の生徒がたくさん泳いで居りました。けれども元来私どもはイギリス海岸に行こうと思ったのでしたからだまってそこを通りすぎました。そしてそこはもうイギリス海岸の南のはじなのでした。私たちでなくたって、折角川の岸までやって来ながらその気持ちのいい所に行かない人はありません。町の雑貨商店や金物店の息子たち、夏やすみで帰ったあちこちの中等学校の生徒、それからひるやすみの製板の人たちなどが、或いは裸になって二人三人ずつそのまっ白な岩に座ったり、また網シャツやゆるい青の半ずぼんをはいたり、青白い大きな麦稈帽をかぶったりして歩いているのを見て行くのは、ほんとうにいい気持でした。

そしてその人たちが、みな私どもの方を見てすこしわらっているのです。殊に一番いいことは、最上等の外国犬が、向こうから黒い影法師と一緒に、一目散に走って来たことでした。実にそれはロバートとでも名の附きそうなもじゃもじゃした大きな犬でした。

「ああ、いいな。」私どもは一度に叫びました。誰だって夏海岸へ遊びに行きたいと思わない人があるでしょうか。殊にも行けたら、そしてさらわれて紡績工場などへ売られてあんまりひどい目にあわないなら、フランスかイギリスか、そう云う遠い所へ行きたいと誰も思うのです。

私たちは忙しく靴やずぼんを脱ぎ、その冷たい少し濁った水へ次から次と飛び込みました。全くその水の濁りようと来たら素敵に高尚なもんでした。その水へ半分顔を浸して泳ぎながら横目で海岸の方を見ますと、泥岩の向こうのはずれは高い草の崖になって木もゆれ雲もまっ白に光りました。

それから私たちは泥岩の出張った処に取りついてだんだん上りました。一人の生徒はスウィミングワルツの口笛を吹きました。私たちのなかでは、ほんとうのオーケストラを、見たものも聴いたことのあるものも少なかったのですから、もちろんそれは町の洋品屋の蓄音器から来たのですけれども、恰度そのように冷たい水は流れたのです。

私たちは泥岩層の上をあちこちあるきました。所々に壺穴の痕があって、その中には小さな円い砂利が入っていました。

「この砂利がこの壺穴を穿るのです。水がこの上を流れるでしょう、石が水の底でザラザラ動くでしょう。まわったりもするでしょう、だんだん岩が穿れて行くのです。」

また、赤い酸化鉄の沈んだ岩の裂け目に沿って、層がずうっと溝になって窪んだところもありました。それは沢山の壺穴を連結してちょうどひょうたんをつないだように見えました。

「斯う云う溝は水の出るたんびにだんだん深くなるばかりです。なぜなら流されて行く砂利はあまりこの高い所を通りません。溝の中ばかりころんで行きます。溝は深くなる一方でしょう。水の中をごらんなさい。岩がたくさん縦の棒のようになっています。みんなこれです。」

「ああ、騎兵だ、騎兵だ。」誰かが南を向いて叫びました。

下流のまっ青な水の上に、朝日橋がくっきり黒く一列浮かび、そのらんかんの間を白い上着を着た騎兵たちがぞろっと並んで行きました。馬の足なみがかげろうのようにちらちらちらちら光りました。それは一中隊ぐらいで、鉄橋の上を行く汽車よりはもっとゆるく、小学校の遠足の列よりはも少し早く、たぶんは中隊長らしい人を先頭にだんだん橋を渡って行きました。

「どごさ行ぐのだべ。」

「水馬演習でしょう。白い上着を着ているし、きっと裸馬だろう。」

「こっちさ来るどいいな。」

「来るよ、きっと。大てい向こう岸のあの草の中から出て来ます。兵隊だって誰だって気持ちのいい所へは来たいんだ。」

騎兵はだんだん橋を渡り、最後の一人がぽろっと光って、それからみんな見えなくなりました。

と思うと、またこっちの袂から一人がだくでかけて行きました。私たちはだまってそれを見送りました。

　けれども、全く見えなくなると、そのこともだんだん忘れるものです。私たちは又冷たい水に飛び込んで、小さな湾になった所を泳ぎまわったり、岩の上を走ったりしました。

　誰かが、岩の中に埋もれた小さな植物の根のまわりに、水酸化鉄の茶いろな環が、何重もめぐっているのを見附けました。それははじめからあちこち沢山あったのです。

「どうしてこの環、出来だのす。」

「この出来かたはむずかしいのです。膠質体のことをも少し詳しくやってからでなければわかりません。けれどもとにかくこれは電気の作用です。この環はリーゼガングの環と云います。実験室でもこさえられます。あとで土壌の方でも説明します。腐植質磐層というものも似たようなわけでできるのですから。」私は毎日の実習で疲れていましたので、長い説明が面倒くさくて斯う答えました。

　それからしばらくたって、ふと私は川の向こう岸を見ました。せいの高い二本のでんしんばしらが、互いによりかかるようにして一本の腕木でつらねられてありました。そのすぐ下の青い草の崖の上に、まさしく一人のカアキイ色の将校と大きな茶いろの馬の頭とが出て来ました。

「来た、来た、とうとうやって来た。」みんなは高く叫びました。

「水馬演習だ。向こう側へ行こう。」斯う云いながら、そのまっ白なイギリス海岸を上流にのぼり、そこから向こう側へ泳いで行く人もたくさんありました。

兵隊は一列になって、崖をななめに下り、中にはさきに黒い鉤のついた長い竿を持った人もありました。

間もなく、みんなは向こう側の草の生えた河原に下り、六列ばかりに横にならんで馬から下り、将校の訓示を聞いていました。それが中々永かったのでこっち側に居る私たちは実際あきてしまいました。いつになったら兵隊たちがみな馬のたてがみに取りついて、泳いでこっちへ来るのやらすっかり待ちあぐねてしまいました。さっき川を越えて見に行った人たちも、浅瀬に立って将校の訓示を聞いていましたが、それもどうも面白くて聞いているようにも見え、またつまらなそうにも見えるのでした。うるんだ夏の雲の下です。

そのうちとうとう二隻の舟が川下からやって来て、川のまん中にとまりました。兵隊たちはいちばんはじの列から馬をひいてだんだん川へ入りました。馬の蹄の底の砂利をふむ音と水のばちゃばちゃはねる音とが遠くの遠くの夢の中からでも来るように、こっち岸の水の音を越えてやって来ました。私たちはいまにだんだん深い処へさえ来れば、兵隊たちはたてがみにとりついて泳ぎ出すだろうと思って待っていました。ところが先頭の兵隊さんは舟のところまでやって来ると、ぐるっとまわって、また向こうへ戻りました。みんなもそれに続きましたので列は一つの環になりました。

「なんだ、今日はただ馬を水にならすためだ。」私たちはなんだかつまらないようにも思いましたが、亦、あんな浅い処までしか馬を入れさせずそれに舟を二隻も用意したのを見てどこか大へん力強い感じもしました。それから私たちは養蚕の用もありましたので急いで学校に帰りました。

その次には私たちはただ五人で行きました。

はじめはこの前の湾のところだけ泳いでいましたがそのうちだんだん川にもなれて来て、ずうっと上流の波の荒い瀬のところから海岸のいちばん南のいかだのあるあたりへまでも行きました。そして、疲れて、おまけに少し寒くなりましたので、海岸の西の堺のあの古い根株やその上につもった軽石の火山礫層の処に行きました。

その日私たちは完全なくるみの実も二つ見附けたのです。火山礫の層の上には前の水増しの時の水が、沼のようになって処々溜っていました。私たちはその溜り水から堰をこしらえて滝にしたり発電所のまねをこしらえたり、ここはオーバアフロウだの何の永いこと遊びました。

その時、あの下流の赤い旗の立っているところに、いつも腕に赤いきれを巻きつけて、はだかに半天だけ一枚着てみんなの泳ぐのを見ている三十ばかりの男が、一梃の鉄梃をもって下流の方から溯って来るのを見ました。その人は、町から、水泳で子供らの溺れるのを助けるために雇われて来ているのでしたが、何ぶんひまに見えたのです。今日だって実際ひまなもんだから、ああやって用もない鉄梃なんかかついで、動かさなくてもいい途方もない大きな石を動かそうとして見たり、丁度私どもが遊びにしている発電所のまねなどを、鉄梃まで使って本当にごつごつ岩を掘って、浮岩の層のたまり水を干そうとしたりしているのだと思うと、私どもは実は少しおかしくなったのでした。

ですからわざと真面目な顔をして、

「ここの水少し干した方いいな、鉄梃を貸しませんか。」と云うものもありました。

するとその男は鉄梃でとんとんあちこち突いて見てから、
「ここら、岩も柔らかいようだな。」と云いながらすなおに私たちに貸し、自分は又上流の波の荒いところに集まっている子供らの方へ行きました。すると子供らは、その荒いブリキ色の波のこっち側で、手をあげたり脚を俥屋さんのようにしたり、みんなちりぢりに遁げるのでした。私どもははは、あの男はやっぱりどこか足りないな、だから子供らが鬼のようにこわがっているのだと思って遠くから笑って見ていました。

さてその次の日も私たちはイギリス海岸に行きました。

その日は、もう私たちはすっかり川の心持ちになれたつもりで、どんどん上流の瀬の荒い処から飛び込み、すっかり疲れるまで下流の方へ泳ぎました。下流であがっては又野蛮人のようにその白い岩の上を走って来て上流の瀬にとびこみました。それでもすっかり疲れてしまうと、又昨日の軽石層のたまり水の処に行きました。救助係はその日はもうちゃんとそこに来ていたのです。腕には赤い巾を巻き鉄梃も持っていました。

「お暑うござんす。」私が挨拶しましたらその人は少しきまり悪そうに笑って、

「なあに、おうちの生徒さんぐらい大きな方ならあぶないこともないのですが一寸来て見た所です。」と云うのでした。なるほど私たちの中でたしかに泳げるものはほんとうに少なかったのです。もちろん何かの張合で誰かが溺れそうになったとき間違いなくそれを救えるという位のものは、一人もありませんでした。だんだん談して見ると、この人はずいぶんよく私たちを考えていて呉れたのです。救助区域はずうっと下流の筏のところなのですが、私たちがこの気もちよいイ

ギリス海岸に来るのを止めるわけにも行かず、時々別の用のあるふりをして来て見ていて呉れたのです。もっと談しているうちに私はすっかりきまり悪くなってしまいました。なぜなら誰でも自分だけは賢く、人のしていることは馬鹿げて見えるものですが、その日そのイギリス海岸で、私はつくづくそんな考えのいけないことを感じました。からだを刺されるようにさえ思いました。はだかになって、生徒といっしょに白い岩の上に立っていましたが、まるで太陽の白い光に責められるように思いました。全くこの人は、救助区域があんまり下流の方で、とてもこのイギリス海岸まで手が及ばず、それにも係わらず私たちをはじめみんなこっちへも来るし、殊に小さな子供らまでが、何べん叱られてもあのあぶない瀬の処に行っていて、この人の形を遠くから見ると、遁げてどての蔭や沢のはんのきのうしろにかくれるものですから、この人は町へ行って、もう一人、人を雇うかそうでなかったら救助の浮標を浮かべて貰いたいと話しているというのです。

　そうして見ると、昨日あの大きな石を用もないのに動かそうとしたのもその浮標の重りに使う心組からだったのです。おまけにあの瀬の処では、早くにも溺れた人もあり、下流の救助区域でさえ、今年になってから二人も救ったというのです。いくら昨日までよく泳げる人でも、今日のからだ加減では、いつ水の中で動けないようになるかわからないというのです。何気なく笑って、その人と談してはいましたが、私はひとりで烈しく烈しく私の軽率を責めました。実は私はその日までもし溺れる生徒ができたら、こっちはとても助けることもできないし、ただ飛び込んで行って一緒に溺れてやろう、死ぬことの向こう側まで一緒について行ってやろうと思っていただけでした。全く私たちにはそのイギリス海岸の夏の一刻がそんなにまで楽しかったのです。そして私は、それが悪いことだとは決して思いませんでした。

さてその人と私らは別れましたけれども、今度はもう要心して、あの十間ばかりの湾の中でしか泳ぎませんでした。

その時、海岸のいちばん北のはじまで溯って行った一人が、まっすぐに私たちの方へ走って戻って来ました。

「先生、岩に何かの足痕あらんす。」

私はすぐ壺穴の小さいのだろうと思いました。第三紀の泥岩で、どうせ昔の沼の岸ですから、何か哺乳類の足痕のあることもいかにもありそうなことだけれども、教室でだって手獣の足痕の図まで黒板に書いたのだし、どうせそれが頭にあるから壺穴までそんな工合に見えたんだと思いながら、あんまり気乗りもせずにそっちへ行って見ました。ところが私はぎくりとしてつっ立ってしまいました。みんなも顔色を変えて叫んだのです。

白い火山灰層のひとところが、平らに水で剝がされて、浅い幅の広い谷のようになっていましたが、その底に二つずつ蹄の痕のある大きさ五寸ばかりの足あとが、幾つか続いたりぐるっとまわったり、大きいのや小さいのや、実にめちゃくちゃについているではありませんか。その中には薄く酸化鉄が沈澱してあたりの岩から実にはっきりしていました。たしかに足痕が泥につくや否や、火山灰がやって来てそれをそのまま保存したのです。私ははじめは粘土でその型をとろうと思いました。一人がその青い粘土も持って来たのでしたが、蹄の痕があんまり深過ぎるので、どうもうまく行きませんでした。私は「あした石膏を用意して来よう」とも云いました。けれどもそれよりいちばんいいことはやっぱりその足あとを切り取って、そのまま学校へ持って行って標本にすることでした。どうせ又水が出れば火山灰の層が剝げて、新しい足あとの出るのはたしかでしたし、今のは構わないで置いてもすぐ壊れることが明らかでしたから。

次の朝早く私は実習を掲示する黒板に斯う書いて置きました。

　　八月八日

農場実習　午前八時半より正午まで

　除草、追肥　　第一、七組

　蕪菁播種　　第三、四組

　甘藍中耕　　第五、六組

　養蚕実習　　第二組

（午后イギリス海岸に於いて第三紀偶蹄類の足跡標本を採収すべきにより希望者は参加すべし。）

そこで正直を申しますと、この小さな「イギリス海岸」の原稿は八月六日あの足あとを見つける前の日の晩宿直室で半分書いたのです。私はあの救助係の大きな石を鉄梃で動かすあたりから、あとは勝手に私の空想を書いて行こうと思っていたのです。ところが次の日救助係がまるでちがった人になってしまい、泥岩の中からは空想よりももっと変なあしあとなどが出て来たのです。その半分書いた分だけを実習がすんでから教室でみんなに読みました。

それを読んでしまうかしまわないうち、私たちは一ぺんに飛び出してイギリス海岸へ出かけたのです。

丁度(ちょうど)この日は校長も出張から帰って来て、学校に出ていました。黒板を見てわらっていました、それから繭(まゆ)を売るのが済んだら自分も行こうと云(い)うのでした。私たちは新しい鋼鉄の三本鍬(さんぼんぐわ)一本と、ものさしや新聞紙などを持って出て行きました。海岸の入口に来て見ますと水はひどく濁(にご)っていましたし、雨も少し降りそうでした。雲が大へんけわしかったのです。救助係に私は今日は少しのお礼をしようと思ってその支度(したく)もして来たのでしたがその人はいつもの処(ところ)に見えませんでした。私たちはまっすぐにそのイギリス海岸を昨日(きのう)の処に行きました。それからていねいにあのあやしい化石を掘(ほ)りはじめました。気がついて見ると、みんなは大抵(たいてい)ポケットに除草鎌(じょそうがま)を持って来ているのでした。岩が大へん柔(やわ)らかでしたから大丈夫(だいじょうぶ)それで削(けず)れる見当がついていたのでした。もうあちこちで掘り出されました。私はせわしくそれをとめて、二つの足あとの間隔(かんかく)をはかったり、スケッチをとったりしなければなりませんでした。足あとを二つつづけて取ろうとしている人もありましたし、も少しのところでこわした人もありました。

まだ上流の方にまた別のがあると、一人の生徒が云って走って来ました。私は暑いので、すっかりはだかになって泳ぐ時のようなかたちをしていましたが、すぐその白い岩を走って行って見ました。そのあしあとは、いままでのとはまるで形もちがい、よほど小さかったのです、あるものは水の中にありました。水がもっと退(ひ)いたらまだまだ沢山(たくさん)出るだろうと思われました。その上流の方から、南のイギリス海岸のまん中で、みんなの一生けん命掘り取っているのを見ますと、こんどはそこは英国でなく、イタリヤのポムペイの火山灰の中のように思われるのでした。殊(こと)に四五人の女たちが、けばけばしい色の着物を着て、向こうを歩いていましたし、おまけに雲がだんだんうすくなって日がまっ白に照って来たからでした。

いつか校長も黄いろの実習服を着て来ていました。そして足あとはもう四つまで完全にとられたのです。

私たちはそれを汀まで持って行って洗いそれからそっと新聞紙に包みました。大きなのは三貫目もあったでしょう。掘り取るのが済んであの荒い瀬の処から飛び込んで行くものもありました。けれども私はその溺れることを心配しませんでした。なぜなら生徒より前に、もう校長が飛び込んでいてごくゆっくり泳いで行くのでしたから。

しばらくたって私たちはみんなでそれを持って学校へ帰りました。そしてさっきも申しましたようにこれは昨日のことです。今日は実習の九日目です。朝から雨が降っていますので外の仕事はできません。うちの中で図を引いたりして遊ぼうと思うのです。これから私たちにはまだ麦こなしの仕事が残っています。天気が悪くてよく乾かないで困ります。麦こなしは芒がえらえらからだに入って大へんつらい仕事です。百姓の仕事の中ではいちばんいやだとみんなが云います。この辺ではこの仕事を夏の病気とさえ云います。けれども全くそんな風に考えてはすみません。私たちはどうにかしてできるだけ面白くそれをやろうと思うのです。

（一九二三、八、九）

耕耘部の時計

こううんぶのとけい

一、午前八時五分

農場の耕耘部の農夫室は、雪からの反射で白びかりがいっぱいでした。

まん中の大きな釜からは湯気が盛んにたち、農夫たちはもう食事もすんで、脚絆を巻いたり藁沓をはいたり、はたらきに出る支度をしていました。

俄かに戸があいて、赤い毛布でこさえたシャツを着た若い血色のいい男がはいって来ました。

みんなは一ぺんにそっちを見ました。

その男は、黄いろなゴムの長靴をはいて、脚をきちんとそろえて、まっすぐに立って云いました。

「農夫長の宮野目さんはどなたですか。」

「おれだ。」

かがんで炉に靴下を乾かしていたせいの低い犬の毛皮を着た農夫が、腰をのばして立ちあがりました。

「何か用かい。」

「私は、今事務所から、こちらで働けと云われてやって参りました。」

農夫長はうなずきました。

「そうか。丁度いい所だった。昨夜はどこへ泊まった。」

「事務所へ泊まりました。」

「そうか。丁度よかった。この人について行って呉れ。玉蜀黍の脱穀をしてるんだ。機械は八時半から動くからな。今からすぐ行くんだ。」農夫長は隣りで脚絆を巻いている顔のまっ赤な農夫を指しました。

「承知しました。」

みんなはそれっきり黙って仕度しました。赤シャツはみんなの仕度する間、入口にまっすぐに立って、室の中を見まわしていましたが、ふと室の正面にかけてある円い柱時計を見あげました。その盤面は青じろくて、ツルツル光って、いかにも舶来の上等らしく、どこでも見たことのないようなものでした。

赤シャツは右腕をあげて自分の腕時計を見て何気なく低くつぶやきました。

「あいつは十五分進んでいるな。」それから腕時計の竜頭を引っぱって針を直そうとしました。そしたらさっきから仕度ができてめずらしそうにこの新しい農夫の近くに立ってそのようすを見ていた子供の百姓が俄かにくすりと笑いました。

するとどう云うわけかみんなもどっと笑ったのです。一斉にその青じろい美しい時計の盤面を見あげながら。

赤シャツはすっかりどぎまぎしてしまいました。そしてきまりの悪いのを軽く足ぶみなどをしてごまかしながらみんなの仕度のできるのを待っていました。

二、午前十二時

る、る、る、る、る、る、る、る、る、る、る。

脱穀器は小屋やそこら中の雪、それからすきとおったつめたい空気をふるわせてまわりつづけました。

小屋の天井にのぼった人たちは、器械の上の方からどんどん乾いた玉蜀黍をほうり込みました。それはたちまち器械の中で、きれいな黄色の穀粒と白い細長い芯とにわかれて、器械の両側に落ちて来るのでした。今朝来たばかりの赤シャツの農夫は、シャベルで落ちて来る穀粒をしゃくって向こうに投げ出していました。それはもう黄いろの小山を作っていたのです。二人の農夫は次から次とせわしく落ちて来る芯を集めて、小屋のうしろの汽缶室に運びました。

ほこりはいっぱいに立ち、午ちかくの日光は四つの窓から四本の青い棒になって小屋の中に落ちました。赤シャツの農夫はすっかり塵にまみれ、しきりに汗をふきました。俄かにピタッととうもろこしの粒の落ちて来るのがとまりました。それからもう四粒ばかりぽろぽろっところがって来たと思うとあとは器械ばかりまるで今までとちがった楽なような音をたてながらまわりつづけました。

「無くなったな。」赤シャツの農夫はつぶやいて、も一度シャツの袖（そで）でひたいをぬぐい、胸をはだけて脱穀（だっこく）小屋の戸口に立ちました。

「これで午だ。」天井でも叫（さけ）んでいます。

る、る、る、る、る、る、る、る、る。

器械はやっぱり凍（こお）ったはたけや牧草地の雪をふるわせてまわっています。

脱穀小屋の庇（ひさし）の下に、貯蔵庫から玉蜀黍のそりを牽（ひ）いて来た二疋（ひき）の馬が、首を垂（た）れてだまって立って居ました。

赤シャツの農夫は馬に近よって頸（くび）を平手（ひらて）で叩（たた）こうとしました。

その時、向こうの農夫室のうしろの雪の高みの上に立てられた高い柱の上の小さな鐘（かね）が、前後にゆれ出し音はカランカランカランカランとうつくしく雪を渡（わた）って来ました。今までじっと立っていた馬は、この時一緒（いっしょ）に頸をあげ、いかにもきれいに歩調を踏（ふ）んで、厩（うまや）の方へ歩き出し、空（から）のそりはひとりでに馬について雪を滑（すべ）って行きました。赤シャツの農夫はすこしわらってそれを見送っていましたが、ふと思い出したように右手をあげて自分の腕時計（うでどけい）を見ました。そして不思議（ふしぎ）そうに、

「今度は合っているな。」とつぶやきました。

三、午后零時五十分

午の食事が済んでから、みんなは農夫室の火を囲んでしばらくやすんで居ました。炭火はチラチラ青い焔を出し、窓ガラスからはうるんだ白い雲が、額もかっと痛いようなまっ青なそらをあてなく流れて行くのが見えました。

「お前、郷里はどこだ。」農夫長は石炭函にこしかけて両手を火にあぶりながら今朝来た赤シャツにたずねました。

「福島です。」

「前はどこに居たね。」

「六原に居りました。」

「どうして向こうをやめたんだい。」

「一ぺん郷国へ帰りましてね、あすこも陰気でいやだから今度はこっちへ来たんです。」

「そうかい。六原に居たんじゃ馬は使えるだろうな。」

「使えます。」

「いつまでこっちに居る積もりだい。」

「ずっと居ますよ。」

「そうか。」農夫長はだまってしまいました。

一人の農夫が兵隊の古外套（ふるがいとう）をぬぎながら入って来ました。

「場長は帰っているかい。」

「まだ帰らないよ。」

「そうか。」

時計ががちっと鳴りました。あの蒼白（あおじろ）いつるつるの瀬戸でできているらしい立派な盤面（ダイアル）の時計です。

「さあじき一時だ、みんな仕事に行って呉（く）れ。」農夫長が云（い）いました。

赤シャツの農夫はまたこっそりと自分の腕時計（うでどけい）を見ました。

たしかに腕時計は一時五分前なのにその大きな時計は一時二十分前でした。農夫長はじき一時だと云い、時計もたしかにがちっと鳴り、それに針は二十分前、今朝（けさ）は進んでさっきは合い、今度は十五分おくれている、赤シャツはぼんやりダイアルを見ていました。

俄（にわ）かに誰（たれ）かがクスクス笑いました。みんなは続いてどっと笑いました。すっかり今朝の通りです。赤シャツの農夫はきまり悪そうに、急いで戸をあけて脱穀（だっこく）小屋の方へ行きました。あとではまだみんなの気のよさそうな笑い声にまじって、

「あいつは仲々気取ってるな。」

「時計ばかり苦にしてるよ。」というような声が聞こえました。

四、

日暮れからすっかり雪になりました。

外ではちらちらちらちら雪が降っています。

農夫室には電燈が明るく点き、火はまっ赤に熾りました。

赤シャツの農夫は炉のそばの土間に燕麦の稈を一束敷いて、その上に足を投げ出して座り、小さな手帳に何か書き込んでいました。

みんなは本部へ行ったり、停車場まで酒を呑みに行ったりして、室にはただ四人だけでした。

（一月十日、玉蜀黍脱穀）と赤シャツは手帳に書きました。

「今夜積もるぞ。」

「一尺は積もるな。」

「帝釈の湯で、熊又捕れたってな。」

「そうか。今年は二疋目だな。」

その時です。あの蒼白い美しい柱時計がガンガンガンガン六時を打ちました。

藁の上の若い農夫はぎょっとしました。そして急いで自分の腕時計を調べて、それからまるで食い込むように向こうの怪しい時計を見つめました。腕時計も六時、柱時計の音も六時なのにその針は五時四十五分です。今度はおくれたのです。さっき仕事を終わって帰ったときは十分進んでいました。さあ、今だ。赤シャツの農夫はだまって針をにらみつけました。二人の炉ばたの百姓たちは、それを見て又面白そうに笑ったのです。

さあ、その時です。いままで五時五十分を指していた長い針が俄かに電のように飛んで、一ぺんに六時十五分の所まで来てぴたっととまりました。

「何だ、この時計、針のねじが緩んでるんだ。」

赤シャツの農夫は大声で叫んで立ちあがりました。みんなもも一度わらいました。

赤シャツの農夫は、窓ぶちにのぼって、時計の蓋をひらき、針をがたがた動かして見てから、盤に書いてある小さな字を読みました。

「この時計、上等だな。巴里製だ。針がゆるんだんだ。」

農夫は針の上のねじをまわしました。

「修繕したのか。汝、時計屋に居たな。」炉のそばの年老った農夫が云いました。若い農夫は、も一度自分の腕時計に柱時計の針を合わせて、安心したように蓋をしめ、ぴょんと土間にはね降りました。

外では雪がこんこんこんこん降り、酒を呑みに出掛けた人たちも、停車場まで行くのはやめたろうと思われたのです。

タネリはたしかにいちにち噛んでいたようだった

たねりは
たしかに
いちにち
かんでいた
ようだった

ホロタイタネリは、小屋の出口で、でまかせのうたをうたいながら、何か細かくむしったものを、ばたばたばたばた、棒で叩いて居りました。
「山のうえから、青い藤蔓とってきた
…西風ゴスケに北風カスケ…
崖のうえから、赤い藤蔓とってきた
…西風ゴスケに北風カスケ…
森のなかから、白い藤蔓とってきた
…西風ゴスケに北風カスケ…
洞のなかから、黒い藤蔓とってきた
…西風ゴスケに北風カスケ…
山のうえから、…」
タネリが叩いているものは、冬中かかって凍らして、こまかく裂いた藤蔓でした。
「山のうえから、青いけむりがふきだした

…西風ゴスケに北風カスケ…

崖のうえから、赤いけむりがふきだした
…西風ゴスケに北風カスケ…

森のなかから、白いけむりがふきだした
…西風ゴスケに北風カスケ…

洞のなかから、黒いけむりがふきだした
…西風ゴスケに北風カスケ…。」

ところがタネリは、もうやめてしまいました。向こうの野はらや丘が、あんまり立派で明るくて、それにかげろうが、「さあ行こう、さあ行こう。」というように、そこらいちめん、ゆらゆらのぼっているのです。

タネリはとうとう、叩いた蔓を一束もって、口でもにちゃにちゃ嚙みながら、そっちの方へ飛びだしました。

「森へは、はいって行くんでないぞ。ながねの下で、白樺の皮、剝いで来よ。」うちのなかから、ホロタイタネリのお母さんが云いました。

タネリは、そのときはもう、子鹿のように走りはじめていましたので、返事する間もありませんでした。

枯れた草は、黄いろにあかるくひろがって、どこもかしこも、ごろごろころがってみたいくらい、そのはてでは、青ぞらが、つめたくつるつる光っています。タネリは、まるで、早く行ってその青ぞらをすこし喰べるのだというふうに走りました。
タネリの小屋が、兎ぐらいに見えるころ、タネリはやっと走るのをやめて、ふざけたように、口を大きくあきながら、頭をがたがたふりました。それから思い出したように、あの藤蔓を、また五六ぺんにちゃにちゃ噛みました。その足もとに、去年の枯れた萱の穂が、三本倒れて、白くひかって居りました。タネリは、もがもがつぶやきました。

「こいつらが
　ざわざわざわざわ云ったのは、
　ちょうど昨日のことだった。
　何して昨日のことだった？
　雪を勘定しなければ、
　ちょうど昨日のことだった。」

ほんとうに、その雪は、まだあちこちのわずかな窪みや、向こうの丘の四本の柏の木の下で、まだらになって残っています。タネリは、大きく息をつきながら、まばゆい頭のうえを見ました。そこには、小さなすきとおる渦巻きのようなものが、ついついと、のぼったりおりたりしているのでした。タネリは、また口のなかで、きゅうくつそうに云いました。

「雪のかわりに、これから雨が降るもんだから、
　そうら、あんなに、雨の卵ができている。」

そのなめらかな青ぞらには、まだ何か、ちらちらちらちら、網になったり紋になったり、ゆれ

てるものがありました。タネリは、柔らかに噛んだ藤蔓を、いきなりぷっと吐いてしまって、こんどは力いっぱい叫びました。

「ほう、太陽の、きものをそらで編んでるぞ
いや、太陽の、きものを編んでいるだけでない。

そんなら西のゴスケ風だか？

いいや、西風ゴスケでない
そんならホースケ、蜂だか？

うんにゃ、ホースケ、蜂でない
そんなら、トースケ、ひばりだか？

うんにゃ、トースケ、ひばりでない。」

タネリは、わからなくなってしまいました。そこで仕方なく、首をまげたまま、また藤蔓を一つまみとって、にちゃにちゃ噛みはじめながら、かれ草をあるいて行きました。向こうにはさっきの、四本の柏が立っていてつめたい風が吹きますと、去年の赤い枯れた葉は、一度にざらざら鳴りました。タネリはおもわず、やっと柔らかになりかけた藤蔓を、そこらへふっと吐いてしまって、その西風のゴスケといっしょに、大きな声で云いました。

「おい、柏の木、おいらおまえと遊びに来たよ。遊んでおくれ。」

この時、風が行ってしまいましたので、柏の木は、もうこそっとも云わなくなりました。

「まだ睡てるのか、柏の木、遊びに来たから起きてくれ。」

柏の木が四本とも、やっぱりだまっていましたので、タネリは、怒って云いました。
「雪のないとき、ねていると、
西風ゴスケがゆすぶるぞ
ホースケ蜂が巣を食うぞ
トースケひばりが糞ひるぞ。」
それでも柏は四本とも、やっぱり音をたてませんでした。タネリは、こっそり爪立てをして、その一本のそばへ進んで、耳をぴったり茶いろな幹にあてがって、なかのようすをうかがいました。けれども、中はしんとして、まだ芽も葉もうごきはじめるもようがありませんでした。
「来たしるしだけつけてくよ。」タネリは、さびしそうにひとりでつぶやきながら、そこらの枯れた草穂をつかんで、あちこちに四つ、結び目をこしらえて、やっと安心したように、また藤の蔓をすこし口に入れてあるきだしました。
丘のうしろは、小さな湿地になっていました。そこではまっくろな泥が、あたたかに春の湯気を吐き、そのあちこちには青じろい水ばしょう、牛の舌の花が、ぼんやりならんで咲いていました。タネリは思わず、また藤蔓を吐いてしまって、勢いよく湿地のへりを低い方へつたわりながら、その牛の舌の花に、一つずつ舌を出して挨拶してあるきました。そらはいよいよ青くひかって、そこらはしぃんと鳴るばかり、タネリはとうとう、たまらなくなって、
「おーい、誰か居たかあ。」と叫びました。すると花の列のうしろから、一ぴきの茶いろの蟇が、のそのそ這ってでてきました。タネリは、ぎくっとして立ちどまってしまいました。それは

蔓の、這いながらかんがえていることが、まるで遠くで風でもつぶやくように、タネリの耳にきこえてきたのです。

（どうだい、おれの頭のうえは。

いつから、こんな、
ぺらぺら赤い火になったろう。）

「火なんか燃えてない。」タネリは、こわごわ云いました。蔓は、やっぱりのその這いながら、

（そこらはみんな、桃いろをした木耳だ。

ぜんたい、いつから、
こんなにぺらぺらしだしたのだろう。）といっています。タネリは、俄かにこわくなって、いちもくさんに遁げ出しました。

しばらく走って、やっと気がついてとまってみると、すぐ目の前に、四本の栗が立っていて、その一本の梢には、黄金いろをした、やどり木の立派なまりがついていました。タネリは、やどり木に何か云おうとしましたが、あんまり走って、胸がどかどかふいごのようで、どうしてももが云えませんでした。早く息をみんな吐いてしまおうと思って、青ぞらへ高く、ほうと叫んでも、まだなおりませんでした。藤蔓を一つまみ噛んでみても、まだなおりませんでした。そこでこんどはふっと吐き出してみましたら、ようやく叫べるようになりました。

「栗の木　死んだ、何して死んだ、
子どもにあたまを食われて死んだ。」

すると上の方で、やどりぎが、ちらっと笑ったようでした。タネリは、面白がって節をつけてまた叫びました。

「栗の木食って　栗の木死んで
かけすが食って　子どもが死んで
夜鷹が食って　かけすが死んで
鷹は高くへ飛んでった。」

やどりぎが、上でべそをかいたようなので、タネリは高く笑いました。けれども、その笑い声が、潰れたように丘へひびいて、それから遠くへ消えたとき、タネリは、しょんぼりしてしまいました。そしてさびしそうに、また藤の蔓を一つまみとって、にちゃにちゃと噛みはじめました。

その時、向こうの丘の上を、一疋の大きな白い鳥が、日を遮ぎって飛びたちました。はねのうらは桃いろにぎらぎらひかり、まるで鳥の王さまとでもいうふう、タネリの胸は、まるで、酒でいっぱいのようになりました。タネリは、いま噛んだばかりの藤蔓を、勢いよく草に吐いて高く叫びました。

「おまえは鴇という鳥かい。」

鳥は、あたりまえさというように、ゆっくり丘の向こうへ飛んで、まもなく見えなくなりました。タネリは、まっしぐらに丘をかけのぼって、見えなくなった鳥を追いかけました。丘の頂上に来て見ますと、鳥は、下の小さな谷間の、枯れた蘆のなかへ、いま飛び込むところです。タネリは、北風カスケより速く、丘を馳け下りて、その黄いろな蘆むらのまわりを、ぐるぐるまわりながら叫びました。
「おおい、鴇、
おいらはひとりなんだから、
おまえはおいらと遊んでおくれ。
おいらはひとりなんだから。」
　鳥は、ついておいでというように、蘆のなかから飛びだして、南の青いそらの板に、射られた矢のようにかけあがりました。タネリは、青い影法師といっしょに、ふらふらそれを追いました。かたくりの花は、その足もとで、たびたびゆらゆら燃えましたし、空はぐらぐらゆれました。鳥は俄かに羽をすぼめて、石ころみたいに、枯草の中に落ちては、またまっすぐに飛びあがります。タネリも、つまずいて倒れてはまた起きあがって追いかけました。鳥ははるかの西に外れて、青じろく光りながら飛んで行きます。タネリは、一つの丘をかけあがって、ころぶようにまたかけ下りました。そこは、ゆるやかな野原になっていて、向こうは、ひどく暗い巨きな木立でした。鳥は、まっすぐにその森の中に落ち込みました。タネリは、胸を押さえて、立ちどまってしまいました。向こうの木立が、あんまり暗くて、それに何の木かわからないのです。ひばよりも暗く、榧よりももっと陰気で、なかには、どんなものがかくれているか知れませんでした。それに、何かきたいな怒鳴りや叫びが、中から聞こえて来るのです。タネリは、いつでも遁げられるように、半分うしろを向いて、片足を出しながら、こわごわそっちへ叫んで見ました。
「鴇、鴇、おいらとあそんでおくれ。」

「えい、うるさい　すきなくらいそこらであそんでけ。」たしかにさっきの鳥でないちがったものが、そんな工合にへんじしたのでした。

「鴇、鴇、だから出てきておくれ。」

「えい、うるさいったら。ひとりでそこらであそんでけ。」

「鴇、鴇、おいらはもう行くよ。」

「行くのかい。さよなら、えい、畜生、その骨汁は、空虚だったのか。」

タネリは、ほんとうにさびしくなって、また藤の蔓を一つまみ　嚙みながら、もいちど森を見ましたら、いつの間にか森の前に、顔の大きな犬神みたいなものが、片っ方の手をふところに入れて、山梨のような赤い眼をきょろきょろさせながら、じっと立っているのでした。タネリは、まるで小さくなって、一目さんに遁げだしました。そしていなずまのようにつづけざまに丘を四つ越えました。そこに四本の栗の木が立って、その一本の梢には、立派なやどりぎのまりがついていました。それはさっきのやどりぎでした。いかにもタネリをばかにしたように、上できらきらひかっています。タネリは工合のわるいのをごまかして、

「栗の木、起きろ。」と云いながら、うちの方へあるきだしました。日はもう、よっぽど西にかたよって、丘には陰影もできました。かたくりの花はゆらゆらと燃え、その葉の上には、いろいろな黒いもようが、次から次と、出てきては消え、でてきては消えしています。タネリは低く読みました。

「太陽は、

丘の髪毛（かみけ）の向こうのほうへ、
かくれて行ってまたのぼる。
そしてかくれてまたのぼる。」

タネリは、つかれ切って、まっすぐにじぶんのうちへもどって来ました。

「白樺（しらかば）の皮、剝（は）がして来たか。」タネリがうちに着いたとき、タネリのお母さんが、小屋の前で、こならの実を搗（つ）きながら云（い）いました。

「うんにゃ。」タネリは、首をちぢめて答えました。

「藤蔓みんな嚙（か）じって来たか。」

「うんにゃ、どこかへ無くしてしまったよ。」タネリがぼんやり答えました。

「仕事に藤蔓嚙みに行って、無くしてくるものあるんだか。今年はおいら、おまえのきものは、一つも編んでやらないぞ。」お母さんが少し怒（おこ）って云いました。

「うん。けれどもおいら、一日嚙んでいたようだったよ。」

タネリが、ぼんやりまた云いました。

「そうか。そんだらいい。」お母さんは、タネリの顔付きを見て、安心したように、またこならの実を搗きはじめました。

黒ぶどう

くろぶどう

仔牛が厭きて頭をぶらぶら振っていましたら向こうの丘の上を通りかかった赤狐が風のように走って来ました。

「おい、散歩に出ようじゃないか。僕がこの柵を持ちあげているから早くくぐっておしまい。」

仔牛は云われた通りまず前肢を折って生え出したばかりの角を大事にくぐし、それから後肢をちぢめて首尾よく柵を抜けました。二人は林の方へ行きました。

狐が青ぞらを見ては何べんもタンと舌を鳴らしました。

そして二人は樺林の中のベチュラ公爵の別荘の前を通りました。

ところが別荘の中はしいんとして煙突からはいつものコルク抜きのような煙も出ず、鉄の垣が行儀よくみちに影法師を落としているだけで中には誰も居ないようでした。

そこで狐がタン、タンと二つ舌を鳴らしてしばらく立ちどまってから云いました。

「おい、ちょっとはいって見ようじゃないか。大丈夫なようだから。」

犢はこわそうに建物を見ながら云いました。

「あすこの窓に誰かいるじゃないの。」

「どれ、何だい、びくびくするない。あれは公爵のセロだよ。だまってついておいで。」

「こわいなあ、僕は。」

「いいったら、おまえはぐずだねえ。」

赤狐はさっさと中へ入りました。仔牛も仕方なくついて行きました。ひいらぎの植込みの処を通るとき狐の子は又青ぞらを見上げてタンと一つ舌を鳴らしました。仔牛はどきっとしました。

赤狐はわき玄関の扉のとこでちょっとマットに足をふいてそれからさっさと段をあがって家の中に入りました。仔牛もびくびくしながらその通りしました。

「おい、お前の足はどうしてそうがたがた鳴るんだい。」赤狐は振り返って顔をしかめて仔牛をおどしました。仔牛ははっとして頸をちぢめながら、なあに僕は一向家の中へなんど入りたくないんだが、と思いました。

「この室へはいって見よう。おい。誰か居たら遁げ出すんだよ。」赤狐は身構えしながら扉をあけました。

「何だい。ここは書物ばかりだい。面白くないや。」狐は扉をしめながら云いました。支那の地理のことを書いた本なら見たいなあと仔牛は思いましたがもう狐がさっさと廊下を行くもんですから仕方なく又ついて行きました。

「どうしておまえの足はそうがたがた鳴るんだい。第一やかましいや。僕のようにそっとあるけないのかい。」

狐が又次の室をあけようとしてふり向いて云いました。

仔牛(こうし)はどうもうまく行かないというように頭をふりながらまたどこか、なあに僕(ぼく)は人の家の中なんぞ入りたくないんだ、と思いました。

「何だい、この室(へや)はきものばかりだい。見っともないや。」

赤狐(あかぎつね)は扉(と)をしめて云(い)いました。僕はあのいつか公爵(こうしゃく)の子供が着て居た赤い上着なら見たいなあと仔牛は思いましたけれどももう狐(きつね)がぐんぐん向こうへ行くもんですから仕方なくついて行きました。

狐はだまって今度は真鍮(しんちゅう)のてすりのついた立派なはしごをのぼりはじめました。どうして狐さんはああうまくのぼるんだろうと仔牛は思いました。

「やかましいねえ、お前の足ったら、何て無器用なんだろう。」狐はこわい眼(め)をして指で仔牛をおどしました。

はしご段をのぼりましたら一つの室があけはなしてありました。日が一ぱいに射(さ)して絨緞(じゅうたん)の花のもようが燃えるように見えました。てかてかした円卓(まるテーブル)の上にまっ白な皿があってその上に立派な二房(ふたふさ)の黒ぶどうが置いてありました。冷たそうな影法師(かげぼうし)までちゃんと添(そ)えてあったのです。

「さあ、喰(た)べよう。」狐はそれを取ってちょっと嗅(か)いで検査するようにしながら云いました。

「おい、君もやり給(たま)え。蜂蜜(はちみつ)の匂(にお)いもするから。」狐は一つぶべろりとなめてつゆばかり吸って皮と肉とさねは一しょに絨緞の上にはきだしました。

「そばの花の匂いもするよ。お食べ。」狐は二つぶ目のきょろきょろした青い肉を吐(は)き出して云いました。

「いいだろうか。」僕はたべる筈(はず)がないんだがと仔牛は思いながら一つぶ口でとりました。

「いいともさ。」狐はプッと五つぶめの肉を吐き出しながら云いました。

仔牛はコツコツコツコツと葡萄(ぶどう)のたねをかみ砕(くだ)いていました。

「うまいだろう。」狐はもう半ぶんばかり食(く)っていました。

「うん、大へん、おいしいよ。」仔牛がコツコツ鳴らしながら答えました。

そのとき下の方で
「ではあれはやっぱりあのまんまにして置きましょう。」という声とステッキのカチッと鳴る音がして誰(たれ)か二三人はしご段をのぼって来るようでした。

狐はちょっと眼(め)を円くしてつっ立って音を聞いていましたが、いきなり残りの葡萄の房を一ぺんにべろりとなめてそれから一つくるっとまわってバルコンへ飛び出し、ひらっと外へ下りてしまいました。仔牛はあわてて室の出口の方へ来ました。

「おや、牛の子が来てるよ。迷って来たんだね。」せいの高い鼻眼鏡(はなめがね)の公爵が段をあがって来て云いました。

「おや、誰か葡萄なぞ食って床(ゆか)へ種子(たね)をちらしたぞ。」泊(とま)りに来て居た友だちのヘルバ伯爵(はくしゃく)が上着のかくしに手をつっこんで云いました。

「この牛の仔にリボン結んでやるわ。」伯爵の二番目の女の子がかくしから黄いろのリボンを出しながら云いました。

車
くるま

ハーシュは籠を頭に載っけて午前中町かどに立っていましたが、どう云うわけか一つも仕事がありませんでした。呆れて籠をおろして腰をかけ弁当をたべはじめましたら一人の赤髯の男がせわしそうにやって来ました。

「おい、大急ぎだ。兵営の普請に足りなくなったからテレピン油を工場から買って来て呉れ。そら、あすこにある車をひいてね、四缶だけ、この名刺を持って行くんだ。」

「どこへ行くのです。」ハーシュは弁当をしまって立ちあがりながら訊きました。

「そいつを今云うよ。いいか。その橋を渡って楊の並木に出るだろう。十町ばかり行くと白い杭が右側に立っている。そこから右に入るんだ。すると蕈の形をした松林があるからね、そいつに入って行けばいいんだ。いや、路がひとりでそこへ行くよ。林の裏側に工場がある。さあ、早く。」

ハーシュは大きな名刺を受け取りました。赤髯の男はぐいぐいハーシュの手を引っぱって一台のよぼよぼの車のところまで連れて行きました。

「さあ、早く。今日中に塗っちまわなきゃいけないんだから。」

ハーシュは車を引っぱりました。

間もなくハーシュは楊並木の白い杭の立っている所まで来ました。

「おや、蕈の形の林だなんて。こんな蕈があるもんか。あの男は来たことがないんだな。」ハーシュはそっちの方へ路をまがりながら貰って来た大きな名刺を見ました。

「土木建築設計工作等請負　ニジニ、ハラウ、ふん、テレピン油の工場だなんて見るのははじめてだぞ。」

ハーシュは車をひいて青い松林のすぐそばまで来ました。すがすがしい松脂のにおいがして鳥もツンツン啼きました。みちはやっと車が通るぐらい、おおばこが二列にみちの中に生え、何べんも日が照ったり蔭ったりしてその黄いろのみちの土は明るくなったり暗くなったりしました。ふとハーシュは縮れ毛の可愛らしい子供が水色の水兵服を着て空気銃を持ってばらの藪のこっち側に立ってしげしげとハーシュの車をひいて来るのを見ているのに気が付きました。あんまりこっちを見ているのでハーシュはわらいました。

すると子供は少し機嫌の悪い顔をしていましたがハーシュがすぐそのそばまで行きましたら俄かに子供が叫びました。

「僕、車へのせてってお呉れ。」

ハーシュはとまりました。

「この車、がたがたしますよ。よござんすか。坊ちゃん。」

「がたがたしたって僕ちっともこわくない。」こどもが大威張りで云いました。

「そんならお乗りなさい。よおっと。そら。しっかりつかまっておいでなさい。鉄砲は前へ置いて。そら、動きますよ。」ハーシュはうしろを見ながら車をそろそろ引っぱりはじめました。子供は思ったよりも車ががたがたするので唇をまげてやっぱり少し怖いようでした。それでも一生けん命つかまっていました。ハーシュはずんずん車を引っぱりました。みちがだんだんせまくなって車の輪はたびたび道のふちの草の上を通りました。そのたびに車はがたっとゆれました。子供は一生けん命車にしがみついていました。みちはだんだんせまくなってまん中だけが凹んで来ました。ハーシュは車をとめてこどもをふりかえって見ました。

「雀とってお呉れ。」こどもが云いました。

「今に向こうへついたらとってあげますよ。それとも坊ちゃんもう下りますか。」ハーシュは松林の向こうの水いろに光る空を見ながら云いました。

「下りない。」子供がしっかりつかまりながら答えました。ハーシュはまた車を引っぱりました。

　ところがそのうちにハーシュはあんまり車ががたがたするように思いましたのでふり返って見ましたら車の輪は両方下の方で集まってくさび形になっていました。

「みちのまん中が凹んでいるためだ。それにどこかこわれたな。」ハーシュは思いながらとまってしずかにかじをおろしだまって車をしらべて見ましたら車輪のくさびが一本ぬけていました。

「坊ちゃん、もうおりて下さい。車がこわれたんですよ。あぶないですから。」

「いやだよう。」

「仕方ないな。」ハーシュはつぶやきながらあたりを見まわしました。たしかに構わないで置けば車輪はすっかり抜けてしまうのでした。

「坊ちゃん、では少し待っていて下さいね。いま縄をさがしますから。」ハーシュはすぐ前の左の方に入って行くちいさな路を見付けて云いました。そしてそのみちは向こうの林のかげの一軒の百姓家へ入るらしいのでした。ハーシュはそのみちを急いで行きました。麦のはぜがずうっとかかってその向こうに小さな赤い屋根の家と井戸と柳の木とが明るく日光に照っているのを見ました。

ハーシュはその麦はぜの下に一本の縄が落ちているのを見ました。ハーシュは屈んで拾おうとしましたら、いきなりうしろから高い女の声がしました。

「何する、持って行くな、ひとのもの。」ハーシュはびっくりしてふり返って見ましたら顔の赤いせいの高い百姓のおかみさんでした。ハーシュはどぎまぎして云いました。

「車がこわれましてね。あとで何かお礼をしますからどうかゆずってやって下さい。」

「いけない。ひとが一生けん命綯ったものをだまって持って行く。町の者みんな斯うだ。」

ハーシュはしょげて縄をそこに置いて車の方に戻りました。百姓のおかみさんはあとでまだぶつぶつ云っていました。

「あの縄綯うに一時間かかったんだ。仕方ない。怒るのはもっともだ。」ハーシュは眼をつぶってそう思いました。

「ああ、くさび何処かに落ちてるな。さがせばいいんだ。」

ハーシュは車のとこに戻ってそれから又来た方を戻ってくさびをたずねました。

「早くおいでよ。」子供が足を長くして車の上に座りながら云いました。

くさびはすぐおおばこの中に落ちていました。

「あ、あった。何でもない。」ハーシュはくさびを車輪にはめようとしました。

「まだはめない方がいいよ。すぐ川があるから。」子供が云いました。

ハーシュは笑いながらくさびをはめて油で黒くなった手を草になすりました。

「さあ行きますよ。」

車がまた動きました。ところが子供の云ったようにすぐ小さな川があったのです。二本の松木が橋になっていました。

ははあ、この子供がくさびをはめない方がいいと云ったのは車輪が下で寄さってこの橋を通れるというのだな、ハーシュはひとりで考えて笑いました。

水は二寸ぐらいしかありませんでしたからハーシュは車を引いて川をわたりました。砂利ががりがり云い子供はいよいよ一生けん命にしがみ附いていました。

そして松林のはずれに小さなテレピン油の工場が見えて来ました。松やにの匂いがしぃんとして青い煙はあがり日光はさんさんと降っていました。その戸口にハーシュは車をとめて叫びました。

「兵営からテレピン油を取りに来ました。」

技師長兼職工が笑って顔を出しました。

「済みません。いまお届けしようと思っていましたが手があきませんでね。」

「いいえ、私はただ頼まれて来たんです。」

「そうですか。すぐあげます。おい、どこへ行ったんだ。」

技師長は子供に云いました。

「どうも車が遅くてね。」

「それはいかんな。」技師長がわらいました。ハーシュもわらいました、ほんとうに面白かった、こんなに遊びながら仕事になるんなら、今日午前中仕事がなくていやな気がしたののうめ合わせにはたくさんだとハーシュは思いました。

氷と後光（習作）

こおりとごこう

「ええ。」

雪と月あかりの中を、汽車はいっしんに走っていました。

赤い天鵞絨（びろうど）の頭巾（ずきん）をかぶったちいさな子が、毛布（けっと）につつまれて窓の下の飴（あめ）色の壁（かべ）に上手（じょうず）にたてかけられ、まるで寝床（ねどこ）に居るように、足をこっちにのばしてすやすやと睡（ねむ）っています。

窓のガラスはすきとおり、外はがらんとして青く明るく見えました。

「まだ十八時間あるよ。」

「ええ。」

若いお父さんは、その青白い時計をチョッキのポケットにはさんで靴（くつ）をかたっと鳴らしました。

若いお母さんはまだこどもを見ていました。こどもの頰（ほお）は苹果（りんご）のようにかがやき、苹果のにおいは室（へや）いっぱいでした。その匂（にお）いは、けれども、あちこちの網棚（あみだな）の上のほんとうの苹果から出ていたのです。実に苹果の蒸気が室いっぱいでした。

「ここどこでしょう。」

「もう岩手県だよ。」

「あの山の上に白く見えるの雲でしょうか。」

「雲だろうな。しかし凍っているだろうよ。」

「吹雪じゃないんでしょうか。」

「そうだな、あすこだけ風が吹いてるかも知れないな。けれども風が山のパサパサした雪を飛ばせたのか、その風が水蒸気をもっていて、あんな山の稜の一層つめたい処で雪になったのかわからないね。」

「そうね。」

月あかりの中にまっすぐに立った電信柱が、次次に何本も何本も走って行き、けむりの影は黒く雪の上を滑りました。

車室の中はスティームで暖かく、わずかの乗客たちも大てい睡り、もう十二時を過ぎていました。

「今夜は外は寒いんでしょうか。」

「そんなじゃないだろう。けれども霽れてるからね。こんな雪の野原を歩いていて、今ごろこんな汽車の通るのに出あうとずいぶん羨しいようなつかしいような変な気がするもんだよ。」

「あなたそんなことあって。」

「あるともさ。お前睡くないかい。」

「睡れませんわ。」

若いお父さんとお母さんとは、一緒にこどもを見ました。こどもは熟したように睡っています。

その唇(くちびる)はきちっと結ばれて鮭(さけ)の色の谷か何かのように見え、少し鳶(とび)色がかった髪(かみ)の毛は、ぬれたようになって額(ひたい)に垂(た)れていました。

「おい、あの子の口や歯はおまえに似てるよ。」

「眼(め)はあなたそっくりですわ。」

山の雪が耿々(こうこう)と光り出しました。と思ううちにいきなり汽車はまっ白な雪の丘(おか)の間に入りました。月あかりの中に、たしかにかしわの木らしいものが、沢山(たくさん)枯(か)れた葉をつけて立っていました。

そしてみんなはねむり、若いお父さんとお母さんもうとうとしました。山の中の小さな駅を素通りするたんびにがたっと横にゆれながら、汽車はいっしんにその七時雨(ななしぐれ)の傾斜(けいしゃ)をのぼって行きました。そのまどろみの中から、二人はかわるがわる、やっぱり夢の中のように眼をあいて子供を見ていました。苹果(りんご)の蒸気がいっぱいだったのです。電燈(でんとう)は青い環(わ)をつけたり碧孔雀(あおくじゃく)になって翅(はね)をひろげ子供の天蓋(てんがい)をつくったりしました。

ごとごとごとごと、汽車はいっしんに走りました。

「おや、変に寒くなったぞ。」

しばらくたって若いお父さんは室(へや)の中を見まわしながら云(い)いました。電燈もまるでくらくなって、タングステンがやっと赤く熱(ほて)っているだけでした。

「まあ、スティームが通らなくなったんですわ。」

若いお母さんもびっくりしたように目をひらいて急いで子供を見ました。こどもはすっかりさっきの通りの姿勢ですやすやと睡っています。

「どうしたんだろう。ああ寒い。風邪(かぜ)を引かせちゃ大へんだぜ。何時だろう。ほんのとろっとしただけだったが。」

時計の黒い針は、かっきりと夜中の四時を指し、窓のガラスはすっかり氷で曇(くも)っていました。月が車室のちょうど天井(てんじょう)にかかっているらしく、窓の氷はただぼんやり青白いばかり、電燈(でんとう)は一そう暗くなりました。

「寒いねえ、もう一枚着せよう。」

「そんならわたしのコートやりますわ。」

「コートなんかじゃ着ないも同じこったよ。だまって起こしておやり。却(かえ)って一ぺん起こした方がいいよ。同(お)んなじ姿勢でばかり居たんだから。」

「ええ。ですけど大丈夫(だいじょうぶ)ですわ。外套(がいとう)はお脱(ぬ)ぎにならなくてもいいのよ。」

若いお母さんは、窓ぎわから子供を抱(だ)いて立ちあがりました。毛布(けっと)は暖かいぬけがらになって残りました。こどもは抱かれたまま、やっぱりすやすや睡(ねむ)っています。

「まあ着せとけよ。どうせおれは着てなくたって寒くないんだから。」お父さんは立って席の横に出て外套をぬぎながら云(い)いました。

「毛布の中へ包めばいいよ。そら。」

汽車は峠(とうげ)の頂上にかかったらしく、青い信号燈(シグナル)や何かがぼんやりと窓の外を過ぎ、こどもはまた窓のところに、前より少しうつむいて置かれました。深く息をしながらやっぱりすうすう寝(ね)ています。

たしかにそこは峠の頂上でした。にわかに汽車のあえぐような歩調がなくなり、速さは加わり、まっしぐらに傾斜を下って行くらしいのでした。

間もなく電燈はさっと明るくなりスティームも通って来て暖かい空気が窓の下の隅から紐のようになってのぼって来ました。若いお父さんとお母さんとは安心してまたうとうと睡りました。外が冷えて来たらしく窓は湯気が凍りついて白くなりました。そしてまた夢の合間あいまに、電燈はまばゆい蒼孔雀に変わって紋のついた尾翅をぎらぎらにのばし、そのおいしそうなこどもをたべたそうにしたり、大事そうにしたりしました。

ごとごとごとごと汽車は走ったのです。

そしていつか汽車はとまっていました。

「盛岡、五分停車、盛岡、五分停車。」それからカラコロセメントの上をかける下駄の音、たしかにそれは明方でした。

（ふう、今朝ずいぶん冷えるな。）犬の毛皮を着たり黒いマントをかぶったりして八九人の人たちがどやどや車室に入って来ました。その人たちの頭巾やえり巻には氷がまっ白な毛のようになって結晶していて、ちょっと見ると山羊の毛でも飾りつけてあるようでした。

いつか窓はすっかり白く明るくなりました。電燈も水のようでした。

「夜が明けましたわね。」

「うん。すっかり睡っちゃった。」

「ここ、どこでしょう。」

「盛岡だろう。もうじき日が出るよ。ああすっかり睡っちゃった。」

窓はいちめん蘭か何かの葉の形をした氷の結晶で飾られていました。

汽車はたち、あちこちに朝の新しい会話が起こりました。

（へえ、けれどもみそさざいなら射てるでしょう。）

（いいえ、みそさざいのような小さな鳥は弾丸で形も何もなくなります。）

窓の蘭の葉の形の結晶のすきまから、東のそらの琥珀が微かに透けて見えて来ました。

「七時ころでございましょうか。」

「丁度七時だよ。もう七時間、なかなか長いねえ。」

子どもが眼をさまして舌を出しました。

「おお、いいよ。泣かないわね。ずいぶんねんねしましたね。さあお乳をあげますよ。ようっと。」お母さんは子どもを抱きました。

「そんなに舌を出してはばけてはいかん。」若いお父さんはトランクから楊子を出しながら云いました。

窓は暗くなったり又明るくなったり、汽車はごとごと走りました。

お父さんが洗面所から帰って来ました。

俄かにさっと窓が黄金いろになりました。

「まあ、お日さまがお登りですわ。氷が北極光の形に見えますわ。」

「極光か。この結晶はゼラチンで型をそっくりとれるよ。」

車室の中はほんとうに暖かいのでした。

（ここらでは汽車の中ぐらい立派な家はまあありやせんよ。）

（やあ全く。斯うまるで病院の手術室のように暖かにしてありますしね。）

窓の氷からかすかに青ぞらが透けて見えました。

「まあ、美しい。ほんとうに氷が飾り羽根のようですわ。」

「うん、奇麗だね。」

向こうの横の方の席に腰かけていた線路工夫は、しばらく自分の前の氷を見ていました。それから爪でこつこつ削げました。それから息をかけました。そのすきとおった氷の穴から黝んだ松林と薔薇色の雪とが見えました。

「さあ、又お座りね。」こどもは又窓の前の玉座に置かれました。小さな有平糖のような美しい赤と青のぶちの苹果を、お父さんはこどもに持たせました。

「あら、この子の頭のとこで氷が後光のようになってますわ。」若いお母さんはそっと云いました。若いお父さんはちょっとそっちを見て、それから少し泣くようにわらいました。

「この子供が大きくなってね、それからまっすぐに立ちあがってあらゆる生物のために、無上菩提を求めるなら、そのときは本当にその光がこの子に来るのだよ。それは私たちには何だかちょっとかなしいようにも思われるけれども、もちろんそう祈らなければならないのだ。」

若いお母さんはだまって下を向いていました。

こどもは苹果を投げるようにしてバアと云いました。すっかりひるまになったのです。

四又の百合

よまたのゆり

「正偏知はあしたの朝の七時ごろヒームキャの河をおわたりになってこの町に入らっしゃるそうだ。」

斯う云う語がすきとおった風といっしょにハームキャの城の家々にしみわたりました。

みんなはまるで子供のようにいそいそしてしまいました。なぜなら町の人たちは永い間どんなに正偏知のその町に来るのを望んでいたか知れないのです。それにまた町から沢山の人たちが正偏知のとこへ行ってお弟子になっていたのです。

「正偏知はあしたの朝の七時ごろヒームキャの河をおわたりになってこの町に入らっしゃるそうだ。」

みんなは思いました、正偏知はどんなお顔いろでそのお眼はどんなだろう、噂の通り紺いろの蓮華のはなびらのような瞳をしていなさるだろうか、お指の爪やほんとうに赤銅いろに光るだろうか、また町から行った人たちが正偏知とどんなことを云いどんななりをしているだろう、もうみんなはまるで子供のようにいそいそして、まず自分の家をきちんとととのえそれから表へ出て通りをきれいに掃除しました。あっちの家からもこっちの家からも人が出て通りを掃いて居ります。水がまかれ牛糞や石ころはきれいにとりのけられ、また白い石英の砂が撒かれました。

「正偏知はあしたの朝の七時ごろヒームキャの河をおわたりになってこの町に入らっしゃるそうだ。」

もちろんこの噂は早くも王宮に伝わりました。

「申し上げます。如来正偏知はあしたの朝の十時頃ヒームキャの河をお渡りになってこちらへいらっしゃるそうでございます。」

「そうか、たしかにそうか。」王さまはわれを忘れて瑪瑙で飾られた玉座を立たれました。

「たしかにさようと存ぜられます。今朝ヒームキャの向こう岸でご説法のをハムラの二人の商人が拝んで参ったと申します。」

「そうか、それではまちがいあるまい。ああ、どんなにお待ちしただろう。すぐ町を掃除するよう布令を出せ。」

「申しあげます。町はもうすっかり掃除ができてございます。人民どもはもう大悦びでお布令を待たずきれいに掃除をいたしました。」

「うう。」王さまはうなるようにしました。

「なお参ってよく粗匆のないよう注意いたせ。それから千人の食事の支度を申し伝えて呉れ。」

「畏まりました。大膳職はさっきからそのご命を待ち兼ねてうろうろうろうろ厨の中を歩きまわって居ります。」

「ふう。そうか。」王さまはしばらく考えていられました。

「すると次は精舎だ。城外の柏林に千人の宿をつくるよう工作のものへ云って呉れないか。」

「畏まりました。ありがたい思召でございます。工作の方のものどもはもう万一ご命令もあるかと柏林の測量にとりかかって居ります。」

「ふう。正偏知のお徳は風のようにみんなの胸に充ちる。あしたの朝はヒームキャの河の岸までわしがお迎えに出よう。みなにそう伝えて呉れ。お前は夜明の五時に参れ。」

「畏まりました。」白髯の大臣はよろこんで子供のように顔を赤くして王さまの前を退がりました。


次の夜明になりました。


王さまは帳の中で総理大臣のしずかに入って来る足音を聴いてもう起きあがっていられました。

「申し上げます。ただ今丁度五時でございます。」

「うん、わしはゆうべ一晩ねむらなかった。けれども今朝わしのからだは水晶のようにさわやかだ。どうだろう、天気は。」王さまは帳を出てまっすぐに立たれました。

「大へんにいい天気でございます。修弥山の南側の瑠璃もまるですきとおるように見えます。こんな日如来正偏知はどんなにお立派に見えましょう。」

「いいあんばいだ。街は昨日の通りさっぱりしているか。」

「はい、阿耨達湖の渚のようでございます。」

「斎食の仕度はいいか。」

「もうすっかり出来て居ります。」

「柏林の造営はどうだ。」

「今朝のうちには大丈夫でございます。あとはただ窓をととのえて掃除するだけでございます。」

「そうか。では仕度しよう。」

王さまはみんなを従えてヒームキャの川岸に立たれました。

風がサラサラ吹き木の葉は光りました。

「この風はもう九月の風だな。」

「さようでございます。これはすきとおったするどい秋の粉でございます。数しれぬ玻璃の微塵のようでございます。」

「百合はもう咲いたか。」

「蕾はみんなできあがりましてございます。秋風の鋭い粉がその頂上の緑いろのかけ金を削って減してしまいます。今朝一斉にどの花も開くかと思われます。」

「うん。そうだろう。わしは正偏知に百合の花を捧げよう。大蔵大臣。お前は林へ行って百合の花を一茎見附けて来て呉れないか。」

王さまは黒髯に埋まった大蔵大臣に云われました。

「はい。かしこまりました。」

大蔵大臣はひとり林の方へ行きました。林はしんとして青く、すかして見ても百合の花は見えませんでした。

大臣は林をまわりました。林の蔭に一軒の大きなうちがありました。日がまっ白に照って家は半分あかるく夢のように見えました。その家の前の栗の木の下に一人のはだしの子供がまっ白な貝細工のような百合の十の花のついた茎をもってこっちを見ていました。

　大臣は進みました。

「その百合をおれに売れ。」

「うん、売るよ。」子供は唇を円くして答えました。

「いくらだ。」大臣が笑いながらたずねました。

「十銭。」子供が大きな声で勢いよく云いました。

「十銭は高いな。」大臣はほんとうに高いと思いながら云いました。

「五銭。」子供がまた勢いよく答えました。

「五銭は高いな。」大臣はまだほんとうに高いと思いながら笑って云いました。

「一銭。」子供が顔をまっ赤にして叫びました。

「そうか。一銭。それではこれでいいだろうな。」大臣は紅宝玉の首かざりをはずしました。

「いいよ。」子供は赤い石を見てよろこんで叫びました。大臣は首かざりを渡して百合を手にとりました。

「何にするんだい。その花を。」子供がふと思い付いたように云いました。

「正偏知にあげるんだよ。」

「あっ、そんならやらないよ。」子供は首かざりを投げ出しました。

「どうして。」

「僕がやろうと思ったんだい。」

「そうか。じゃ返そう。」

「やるよ。」

「そうか。」大臣は又(また)花を手にとりました。

「お前はいい子だな。正徧知がいらっしゃったらあとについてお城へおいで。わしは大蔵大臣だよ。」

「うん、行くよ。」子供はよろこんで叫びました。

　大臣は林をまわって川の岸へ来ました。

「立派な百合だ。ほんとうに。ありがとう。」王さまは百合を受けとってそれから恭々(うやうや)しくいただきました。

　川の向こうの青い林のこっちにかすかな黄金(きん)いろがぽっと虹(にじ)のようにのぼるのが見えました。みんなは地にひれふしました。王もまた砂にひざまずきました。

　二億年ばかり前どこかであったことのような気がします。

虔十公園林

けんじゅうこうえんりん

虔十（けんじゅう）はいつも縄（なわ）の帯をしめてわらって杜（もり）の中や畑の間をゆっくりあるいているのでした。

雨の中の青い藪（やぶ）を見てはよろこんで目をパチパチさせ青ぞらをどこまでも翔（か）けて行く鷹（たか）を見付けてははねあがって手をたたいてみんなに知らせました。

けれどもあんまり子供らが虔十をばかにして笑うものですから虔十はだんだん笑わないふりをするようになりました。

風がどうと吹（ふ）いてぶなの葉がチラチラ光るときなどは虔十はもううれしくてうれしくてひとりでに笑えて仕方ないのを、無理やり大きく口をあき、はあはあ息だけついてごまかしながらいつまでもいつまでもそのぶなの木を見上げて立っているのでした。

時にはその大きくあいた口の横わきをさも痒（かゆ）いようなふりをして指でこすりながらはあはあ息だけで笑いました。

なるほど遠くから見ると虔十は口の横わきを掻（か）いているか或（ある）いは欠伸（あくび）でもしているかのように見えましたが近くではもちろん笑っている息の音も聞こえましたし唇（くちびる）がピクピク動いているのもわかりましたから子供らはやっぱりそれもばかにして笑いました。

おっかさんに云(い)いつけられると虔十は水を五百杯(ぱい)でも汲(く)みました。一日一杯(いっぱい)畑の草もとりました。けれども虔十のおっかさんもおとうさんも仲々そんなことを虔十に云いつけようとはしませんでした。

さて、虔十の家のうしろに丁度(ちょうど)大きな運動場ぐらいの野原がまだ畑にならないで残っていました。

ある年、山がまだ雪でまっ白く野原には新しい草も芽を出さない時、虔十はいきなり田打ちをしていた家の人達(たち)の前に走って来て云いました。

「お母(があ)、おらさ杉苗(すぎなえ)七百本　買って呉(け)ろ。」

虔十のおっかさんはきらきらの三本鍬(さんぼんぐわ)を動かすのをやめてじっと虔十の顔を見て云いました。

「杉苗七百ど、どごさ植ぇらぃ。」

「家のうしろの野原さ。」

そのとき虔十の兄さんが云いました。

「虔十、あそごは杉植ぇでも成長(おが)らなぃ処(ところ)だ。それより少し田でも打って助(す)けろ。」

虔十はきまり悪そうにもじもじして下を向いてしまいました。

すると虔十のお父さんが向こうで汗(あせ)を拭(ふ)きながらからからだを延ばして

「買ってやれ、買ってやれ。虔十ぁ今まで何一つだて頼(たの)んだごとぁ無ぃがったもの。買ってやれ。」と云いましたので虔十のお母さんも安心したように笑いました。

虔十はまるでよろこんですぐにまっすぐに家の方へ走りました。

そして納屋から唐鍬を持ち出してぽくりぽくりと芝を起こして杉苗を植える穴を掘りはじめました。

虔十の兄さんがあとを追って来てそれを見て云いました。

「虔十、杉ぁ植える時、掘らなぃばわがなぃんだじゃ。明日まで待て。おれ、苗買って来てやるがら。」

虔十はきまり悪そうに鍬を置きました。

次の日、空はよく晴れて山の雪はまっ白に光りひばりは高く高くのぼってチーチクチーチクやりました。そして虔十はまるでこらえ切れないようににこにこ笑って兄さんに教えられたように今度は北の方の堺から杉苗の穴を掘りはじめました。実にまっすぐに実に間隔正しくそれを掘ったのでした。虔十の兄さんがそこへ一本ずつ苗を植えて行きました。

その時野原の北側に畑を有っている平二がきせるをくわえてふところ手をして寒そうに肩をすぼめてやって来ました。平二は百姓も少しはしていましたが実はもっと別の、人にいやがられるようなことも仕事にしていました。平二は虔十に云いました。

「やぃ。虔十、此処さ杉植えるなんてやっぱり馬鹿だな。第一おらの畑ぁ日影にならな。」

虔十は顔を赤くして何か云いたそうにしましたが云えないでもじもじしました。

すると虔十の兄さんが、

「平二さん、お早うがす。」と云って向こうに立ちあがりましたので平二はぶつぶつ云いながら又のっそりと向こうへ行ってしまいました。

その芝原へ杉を植えることを嘲笑ったものは決して平二だけではありませんでした。あんな処に杉など育つものでもない、底は硬い粘土なんだ、やっぱり馬鹿は馬鹿だとみんなが云って居りました。

それは全くその通りでした。杉は五年までは緑いろの心がまっすぐに空の方へ延びて行きましたがもうそれからはだんだん頭が円く変わって七年目も八年目もやっぱり丈が九尺ぐらいでした。

ある朝虔十が林の前に立っていますとひとりの百姓が冗談に云いました。

「おおい、虔十。あの杉ぁ枝打ぢさなぃのか。」

「枝打ぢていうのは何だぃ。」

「枝打ぢつのは下の方の枝山刀で落とすのさ。」

「おらも枝打ぢするべがな。」

虔十は走って行って山刀を持って来ました。

そして片っぱしからぱちぱち杉の下枝を払いはじめました。ところがただ九尺の杉ですから虔十は少しからだをまげて杉の木の下にくぐらなければなりませんでした。

夕方になったときはどの木も上の方の枝をただ三四本ぐらいずつ残してあとはすっかり払い落とされていました。

濃い緑いろの枝はいちめんに下草を埋めその小さな林はあかるくがらんとなってしまいました。

虔十は一ぺんにあんまりがらんとなったのでなんだか気持ちが悪くて胸が痛いように思いました。

そこへ丁度虔十の兄さんが畑から帰ってやって来ましたが林を見て思わず笑いました。そしてぼんやり立っている虔十にきげんよく云いました。

「おう、枝集めべ、いい焚ぎものうんと出来だ。林も立派になったな。」

そこで虔十もやっと安心して兄さんと一緒に杉の木の下にくぐって落とした枝をすっかり集めました。

下草はみじかくて奇麗でまるで仙人たちが碁でもうつ処のように見えました。

ところが次の日虔十は納屋で虫喰い大豆を拾っていましたら林の方でそれはそれは大さわぎが聞こえました。

あっちでもこっちでも号令をかける声ラッパのまね、足ぶみの音それからまるでそこら中の鳥も飛びあがるようなどっと起こるわらい声、虔十はびっくりしてそっちへ行って見ました。

すると愕ろいたことは学校帰りの子供らが五十人も集まって一列になって歩調をそろえてその杉の木の間を行進しているのでした。

全く杉の列はどこを通っても並木道のようでした。それに青い服を着たような杉の木の方も列を組んであるいているように見えるのですから子供らのよろこび加減と云ったらとてもありません、みんな顔をまっ赤にしてもずのように叫んで杉の列の間を歩いているのでした。

その杉の列には　東京街道ロシヤ街道それから西洋街道というようにずんずん名前がついて行きました。

虔十もよろこんで杉のこっちにかくれながら口を大きくあいてはあはあ笑いました。

それからはもう毎日毎日子供らが集まりました。

ただ子供らの来ないのは雨の日でした。

その日はまっ白なやわらかな空からあめのさらさらと降る中で虔十がただ一人からだ中ずぶぬれになって林の外に立っていました。

「虔十さん。今日も林の立番だなす。」

簑(みの)を着て通りかかる人が笑って云いました。その杉には鳶色(とびいろ)の実がなり立派な緑の枝さきからはすきとおったつめたい雨のしずくがポタリポタリと垂(た)れました。虔十は口を大きくあけてはあはあ息をつきからだからは雨の中に湯気(ゆげ)を立てながらいつまでもいつまでもそこに立っているのでした。

ところがある霧(きり)のふかい朝でした。

虔十は萱場(かやば)で平二といきなり行き会いました。

平二はまわりをよく見まわしてからまるで狼(おおかみ)のようないやな顔をしてどなりました。

「虔十、貴(き)さんどごの杉伐(き)れ。」

「何(な)してな。」

「おらの畑ぁ日かげにならな。」

虔十はだまって下を向きました。平二の畑が日かげになると云ったって杉の影(かげ)がたかで五寸もはいってはいなかったのです。おまけに杉はとにかく南から来る強い風を防いでいるのでした。

「伐れ、伐れ。伐らなぃが。」

「伐らなぃ。」虔十が顔をあげて少し怖そうに云いました。その唇はいまにも泣き出しそうにひきつっていました。実にこれが虔十の一生の間のたった一つの、人に対する逆らいの言だったのです。

ところが平二は人のいい虔十などにばかにされたと思ったので急に怒り出して肩を張ったと思うといきなり虔十の頬をなぐりつけました。どしりどしりとなぐりつけました。

虔十は手を頬にあてながら黙ってなぐられていましたがとうとうまわりがみんなまっ青に見えてよろよろしてしまいました。すると平二も少し気味が悪くなったと見えて急いで腕を組んでのしりのしりと霧の中へ歩いて行ってしまいました。

さて虔十はその秋チブスにかかって死にました。平二も丁度その十日ばかり前にやっぱりその病気で死んでいました。

ところがそんなことには一向構わず林にはやはり毎日毎日子供らが集まりました。

お話はずんずん急ぎます。

次の年その村に鉄道が通り虔十の家から三町ばかり東の方に停車場ができました。あちこちに大きな瀬戸物の工場や製糸場ができました。そこらの畑や田はずんずん潰れて家がたちました。いつかすっかり町になってしまったのです。その中に虔十の林だけはどう云うわけかそのまま残って居りました。その杉もやっと一丈ぐらい、子供らは毎日毎日集まりました。学校がすぐ近くに建っていましたから子供らはその林と林の南の芝原とをいよいよ自分らの運動場の続きと思ってしまいました。

虔十のお父さんももうかみがまっ白でした。まっ白な筈(はず)です。虔十が死んでから二十年近くなるではありませんか。

ある日昔のその村から出て今アメリカのある大学の教授になっている若い博士が十五年ぶりで故郷へ帰って来ました。

どこに昔の畑や森のおもかげがあったでしょう。町の人たちも大ていは新しく外から来た人たちでした。

それでもある日博士は小学校から頼(たの)まれてその講堂でみんなに向こうの国の話をしました。

お話がすんでから博士は校長さんたちと運動場に出てそれからあの虔十の林の方へ行きました。

すると若い博士は愕(おど)ろいて何べんも眼鏡(めがね)を直していましたがとうとう半分ひとりごとのように云いました。

「ああ、ここはすっかりもとの通りだ。木まですっかりもとの通りだ。木は却(かえ)って小さくなったようだ。みんなも遊んでいる。ああ、あの中に私や私の昔の友達が居ないだろうか。」

博士は俄(にわ)かに気がついたように笑い顔になって校長さんに云いました。

「ここは今は学校の運動場ですか。」

「いいえ。ここはこの向こうの家の地面なのですが家の人たちが一向(いっこう)かまわないで子供らの集まるままにして置くものですから、まるで学校の附属(ふぞく)の運動場のようになってしまいましたが実はそうではありません。」

「それは不思議(ふしぎ)な方ですね、一体どう云うわけでしょう。」

「ここが町になってからみんなで売れ売れと申したそうですが年よりの方がここは虔十のただ一つのかたみだからいくら困っても、これをなくすることはどうしてもできないと答えるそうです。」

「ああそうそう、ありました、ありました。その虔十という人は少し足りないと私らは思っていたのです。いつでもはあはあ笑っている人でした。毎日丁度この辺に立って私らの遊ぶのを見ていたのです。この杉もみんなその人が植えたのだそうです。ああ全くたれがかしこくたれが賢くないかはわかりません。ただどこまでも十力の作用は不思議です。ここはもういつまでも子供たちの美しい公園地です。どうでしょう。ここに虔十公園林と名をつけていつまでもこの通り保存するようにしては。」

「これは全くお考えつきです。そうなれば子供らもどんなにしあわせか知れません。」

さてみんなその通りになりました。

芝生のまん中、子供らの林の前に

「虔十公園林」と彫った青い橄欖岩の碑が建ちました。

昔のその学校の生徒、今はもう立派な検事になったり将校になったり海の向こうに小さいながら農園を有ったりしている人たちから沢山の手紙やお金が学校に集まって来ました。

虔十のうちの人たちはほんとうによろこんで泣きました。

全く全くこの公園林の杉の黒い立派な緑、さわやかな匂い、夏のすずしい陰、月光色の芝生がこれから何千人の人たちに本当のさいわいが何だかを教えるか数えられませんでした。

そして林は虔十の居た時の通り雨が降ってはすき徹る冷たい雫をみじかい草にポタリポタリと落としお日さまが輝いては新しい奇麗な空気をさわやかにはき出すのでした。

祭の晩

まつりのばん

山の神の秋の祭りの晩でした。

亮二はあたらしい水色のしごきをしめて、それに十五銭もらって、お旅屋にでかけました。「空気獣」という見世物が大繁盛でした。

それは、髪を長くして、だぶだぶのずぼんをはいたあばたな男が、小屋の幕の前に立って、「さあ、みんな、入れ入れ。」と大威張りでどなっているのでした。亮二が思わず看板の近くまで行きましたら、いきなりその男が、

「おい、あんこ、早ぐ入れ。銭は戻りでいいから。」と亮二に叫びました。亮二は思わず、つっと木戸口を入ってしまいました。すると小屋の中には、高木の甲助だの、だいぶ知っている人たちが、みんなおかしいようなまじめなような顔をして、まん中の台の上を見ているのでした。台の上に空気獣がねばりついていたのです。それは大きな平べったいふらふらした白いもので、どこが頭だか口だかわからず、口上云いがこっち側から棒でつっつくと、そこは引っこんで向こうがふくれ、向こうをつつくとこっちがふくれ、まん中を突くとまわりが一たいふくれました。亮二は見っともないので、急いで外へ出ようとしましたら、土間の窪みに下駄がはいってあぶなく

倒れそうになり、隣りの頑丈そうな大きな男にひどくぶっつかりました。びっくりして見上げましたら、それは古い白縞の単物に、へんな簑のようなものを着た、顔の骨ばって赤い男で、向こうも愕いたように亮二を見おろしていました。その眼はまん円で煤けたような黄金いろでした。亮二が不思議がってしげしげ見ていましたら、にわかにその男が、眼をぱちぱちっとして、それから急いで向こうを向いて木戸口の方に出ました。亮二もついて行きました。その男は木戸口で、堅く握っていた大きな右手をひらいて、十銭の銀貨を出しました。亮二も同じような銀貨を木戸番にわたして外へ出ましたら、従兄の達二に会いました。その男の広い肩はみんなの中に見えなくなってしまいました。

達二はその見世物の看板を指さしながら、声をひそめて云いました。

「お前はこの見世物にはいったのかい。こいつはね、空気獣だなんて云ってるが、実はね、牛の胃袋に空気をつめたものだそうだよ。こんなものにはいるなんて、おまえはばかだな。」

亮二がぼんやりそのおかしな形の空気獣の看板を見ているうちに、達二が又云いました。

「おいらは、まだおみこしさんを拝んでいないんだ。あした又会うぜ。」そして片脚で、ぴょんぴょん跳ねて、人ごみの中にはいってしまいました。

亮二も急いでそこをはなれました。その辺一ぱいにならんだ屋台の青い苹果や葡萄が、アセチレンのあかりできらきら光っていました。

亮二は、アセチレンの火は青くてきれいだけれどもどうも大蛇のような悪い臭いがある、などと思いながら、そこを通り抜けました。

向こうの神楽殿には、ぼんやり五つばかりの提灯がついて、これからおかぐらがはじまるところらしく、てびらがねだけしずかに鳴って居りました。（昌一もあのかぐらに出る）と亮二は思いながら、しばらくぼんやりそこに立っていました。

そしたら向こうのひのきの陰の暗い掛茶屋の方で、なにか大きな声がして、みんながそっちへ走って行きました。亮二も急いでかけて行って、みんなの横からのぞき込みました。するとさっきの大きな男が、髪をもじゃもじゃして、しきりに村の若い者にいじめられているのでした。額から汗を流してなんべんも頭を下げていました。

何か云おうとするのでしたが、どうもひどくどもってしまって語が出ないようすでした。てかてか髪をわけた村の若者が、みんなが見ているので、いよいよ勢いよくどなっていました。

「貴様んみたいな、他処から来たものに馬鹿にされて堪っか。早く銭を払え、銭を。無いのか、この野郎。無いなら何して物食った。こら。」

男はひどくあわてて、どもりながらやっと云いました。

「た、た、た、薪百把持って来てやるがら。」

掛茶屋の主人は、耳が少し悪いと見えて、それをよく聞きとりかねて、却って大声で云いました。

「何だと。たった二串だと。あたりまえさ。団子の二串やそこら、呉れてやってもいいのだが、おれはどうもきさまの物云いが気に食わないのでな。やい。何つうつらだ。こら、貴さん。」

男は汗を拭きながら、やっと又云いました。

「薪をあとで百把持って来てやっから、許して呉れろ。」

するとと若者が怒ってしまいました。

「うそをつけ、この野郎。どこの国に、団子二串に薪百把払うやづがあっか。全体きさんどこのやつだ。」

「そ、そ、そ、そ、そいつはとても云われない。許して呉れろ。」男は黄金色の眼をぱちぱちさせて、汗をふきふき云いました。一緒に涙もふいたようでした。

「ぶん撲れ、ぶん撲れ。」誰かが叫びました。

亮二はすっかりわかりました。

(ははあ、あんまり腹がすいて、それにさっき空気獣で十銭払ったので、あともう銭のないのも忘れて、団子を食ってしまったのだな。泣いている。悪い人でない。却って正直な人なんだ。よし、僕が助けてやろう。)

亮二はこっそりがま口から、ただ一枚残った白銅を出して、それを堅く握って、知らないふりをしてみんなを押しわけて、その男のそばまで行きました。男は首を垂れ、手をきちんと膝まで下げて、一生けん命口の中で何かもにゃもにゃ云っていました。

亮二はしゃがんで、その男の草履をはいた大きな足の上に、だまって白銅を置きました。すると男はびっくりした様子で、じっと亮二の顔を見下していましたが、やがていきなり屈んでそれを取るやいなや、主人の前の台にぱちっと置いて、大きな声で叫びました。

「そら、銭を出すぞ。これで許して呉れろ。薪を百把あとで返すぞ。栗を八斗あとで返すぞ。」

云うが早いか、いきなり若者やみんなをつき退けて、風のように外へ遁げ出してしまいました。

「山男だ、山男だ。」みんなは叫んで、がやがやあとを追おうとしましたが、もうどこへ行ったか、影もかたちも見えませんでした。

風がごうごうっと吹き出し、まっくろなひのきがゆれ、掛茶屋のすだれは飛び、あちこちのあかりは消えました。

かぐらの笛がそのときはじまりました。けれども亮二はもうそっちへは行かないで、ひとり田圃の中のほの白い路を、急いで家の方へ帰りました。早くお爺さんに山男の話を聞かせたかったのです。ぼんやりしたすばるの星がもうよほど高くのぼっていました。

家に帰って、厩の前から入って行きますと、お爺さんはたった一人、いろりに火を焚いて枝豆をゆでていましたので、亮二は急いでその向こう側に座って、さっきのことをみんな話しました。お爺さんははじめはだまって亮二の顔を見ながら聞いていましたが、おしまいとうとう笑い出してしまいました。

「ははあ、そいつは山男だ。山男というものは、ごく正直なもんだ。おれも霧のふかい時、度々山で遭ったことがある。しかし山男が祭を見に来たことは今度はじめてだろう。はっはっは。いや、いままでも来ていても見附からなかったのかな。」

「おじいさん、山男は山で何をしているのだろう。」

「そうさ、木の枝で狐わなをこさえたりしてるそうだ。こういう太い木を一本、ずうっと曲げて、それをもう一本の枝でやっと押さえて置いて、その先へ魚などぶら下げて、狐だの熊だの取りに来ると、枝にあたってばちんとはねかえって殺すようにしかけたりしているそうだ。」
その時、表の方で、どしんがらがらがらっと云う大きな音がして、家は地震(じしん)の時のようにゆれました。亮二は思わずお爺さんにすがりつきました。お爺さんも少し顔色を変えて、急いでラムプを持って外に出ました。

亮二もついて行きました。ラムプは風のためにすぐ消えてしまいました。

その代わり、東の黒い山から大きな十八日の月が静かに登って来たのです。

見ると家の前の広場には、太い薪(たきぎ)が山のように投げ出されてありました。太い根や枝までついた、ぼりぼりに折られた太い薪でした。お爺さんはしばらく呆(あき)れたように、それをながめていましたが、俄(にわ)かに手を叩(たた)いて笑いました。

「はっはっは、山男が薪をお前に持って来て呉(く)れたのだ。俺(おれ)はまたさっきの団子屋(だんごや)にやるという事だろうと思っていた。山男もずいぶん賢(かしこ)いもんだな。」

亮二は薪をよく見ようとして、一足(ひとあし)そっちへ進みましたが、忽(たちま)ち何かに滑(すべ)ってころびました。見るとそこらいちめん、きらきらきらきらする栗(くり)の実でした。亮二は起きあがって叫びました。

「おじいさん、山男は栗も持って来たよ。」

お爺さんもびっくりして云いました。

「栗まで持って来たのか。こんなに貰(もら)うわけには行かない。今度何か山へ持って行って置いて来よう。一番着物がよかろうな。」

亮二はなんだか、山男がかあいそうで泣きたいようなへんな気もちになりました。

「おじいさん、山男はあんまり正直でかあいそうだ。僕（ぼく）何かいいものをやりたいな。」

「うん、今度夜具（やぐ）を一枚持って行ってやろう。山男は夜具を綿入（わたいれ）の代わりに着るかも知れない。それから団子（だんご）も持って行こう。」

亮二（りょうじ）は叫（さけ）びました。

「着物と団子だけじゃつまらない。もっともっといいものをやりたいな。山男が嬉（うれ）しがって泣いてぐるぐるはねまわって、それからからだが天（てん）に飛んでしまう位（くらい）いいものをやりたいなあ。」

おじいさんは消えたランプを取りあげて、

「うん、そういういいものあればなあ。さあ、うちへ入って豆をたべろ。そのうちに、おとうさんも隣（とな）りから帰るから。」と云（い）いながら、家の中にはいりました。

亮二はだまって青い斜（なな）めなお月さまをながめました。

風が山の方で、ごうっと鳴って居（お）ります。

紫紺染について

しこんぞめについて

盛岡の産物のなかに、紫紺染というものがあります。

これは、紫紺という桔梗によく似た草の根を、灰で煮出して染めるのです。

南部の紫紺染は、昔は大へん名高いものだったそうですが、明治になってからは、西洋からやすいアニリン色素がどんどんはいって来ましたので、一向はやらなくなってしまいました。それが、ごくちかごろ、またさわぎ出されました。けれどもなにぶん、しばらくすたれていたものですから、製法も染方も一向わかりませんでした。そこで県工業会の役員たちや、工芸学校の先生は、それについていろいろしらべました。そしてとうとう、すっかり昔のようないいものが出来るようになって、東京大博覧会へも出ましたし、二等賞も取りました。ここまでは、大てい誰でも知っています。新聞にも毎日出ていました。

ところが仲々、お役人方の苦心は、新聞に出ている位のものではありませんでした。その研究中の一つのはなしです。

工芸学校の先生は、まず昔の古い記録に眼をつけたのでした。そして図書館の二階で、毎日黄いろに古びた写本をしらべているうちに、遂にこういういいことを見附けました。

「一、山男紫紺を売りて酒を買い候事、
山男、西根山にて紫紺の根を掘り取り、夕景に至りて、ひそかに御城下（盛岡）へ立ち出で候上、材木町生薬商人近江屋源八に一俵二十五文にて売り候。それより山男、酒屋半之助方へ参り、五合入程の瓢簞を差出し、この中に清酒一斗お入れなされたくと申し候。半之助方小僧、身ぶるえしつつ、酒一斗はとても入り兼ね候と返答致し候処、山男、まずは入れなさるべく候と押して申し候。半之助も顔色青ざめ委細承知と早口に申し候。扨、小僧ますをとりて酒を入れ候に、酒は事もなく入り、遂に正味一斗と相成り候。山男大に笑いて二十五文を置き、瓢簞をさげて立ち去り候趣、材木町総代より御届け有之候。」

　これを読んだとき、工芸学校の先生は、机を叩いて斯うひとりごとを言いました。

「なるほど、紫紺の職人はみな死んでしまった。生薬屋のおやじも死んだと。そうして見るとさしあたり、紫紺についての先輩は、今では山男だけというわけだ。よしよし、一つ山男を呼び出して、聞いてみよう。」

　そこで工芸学校の先生は、町の紫紺染研究会の人達と相談して、九月六日の午后六時から、内丸西洋軒で山男の招待会をすることにきめました。そこで工芸学校の先生は、山男へ宛てて上手な手紙を書きました。山男がその手紙さえ見れば、きっともう出掛けて来るようにうまく書いたのです。そして桃いろの封筒へ入れて、岩手郡西根山、山男殿と上書きをして、三銭の切手をはって、スポンと郵便函へ投げ込みました。

「ふん。こうさえしてしまえば、あとはむこうへ届こうが届くまいが、郵便屋の責任だ。」と先生はつぶやきました。

あっはっは。みなさん。とうとう九月六日になりました。夕方、紫紺染に熱心な人たちが、みんなで二十四人、内丸西洋軒に集まりました。

もう食堂のしたくはすっかり出来て、扇風機はぶうぶうまわり、白いテーブル掛けは波をたてます。テーブルの上には、緑や黒の植木の鉢が立派にならび、極上等のパンやバタももう置かれました。台所の方からは、いい匂いがぷんぷんします。みんなは、蚕種取締所設置の運動のことやなにか、いろいろ話し合いましたが、こころの中では誰もみんな、山男がほんとうにやって来るかどうかを、大へん心配していました。もし山男が来なかったら、仕方ないからみんなの懇親会ということにしようと、めいめい考えていました。

ところが山男が、とうとうやって来ました。丁度、六時十五分前に一台の人力車がすうっと西洋軒の玄関にとまりました。みんなはそれ来たっと玄関にならんでむかえました。俥屋はまるでまっかになって汗をたらし、ゆげをほうほうあげながら膝かけを取りました。するとゆっくりと俥から降りて来たのは黄金色目玉あかつらの西根山の山男でした。せなかに大きな桔梗の紋のついた夜具をのっしりと着込んで鼠色の袋のような袴をどふっとはいて居りました。そして大きな青い縞の財布を出して
「くるまちんはいくら。」とききました。

俥屋はもう疲れてよろよろ倒れそうになっていましたがやっとのことで斯う云いました。

「旦那さん。百八十両やって下さい。俥はもうみしみし云っていますし私はこれから病院へはい

ります。」

　すると山男は

「うんもっともだ。さあこれ丈けやろう。つりは酒代だ。」と云いながらいくらだかわけのわからない大きな札を一枚出してすたすた玄関にのぼりました。みんなははあっとおじぎをしました。山男もしずかにおじぎを返しながら

「いやこんにちは。お招きにあずかりまして大へん恐縮です。」と云いました。みんなは山男があんまり紳士風で立派なのですっかり愕ろいてしまいました。ただひとりその中に町はずれの本屋の主人が居ましたが山男の無暗にしか爪らしいのを見て思わずにやりとしました。それは昨日の夕方顔のまっかな簑を着た大きな男が来て

「知って置くべき日常の作法。」という本を買って行ったのでしたが山男がその男にそっくりだったのです。

　とにかくみんなは山男をすぐ食堂に案内しました。そして一緒にこしかけました。山男が腰かけた時椅子はがりがりっと鳴りました。山男は腰かけるとこんどは黄金色の目玉を据えてじっとパンや塩やバターを見つめ〔以下原稿一枚？なし〕

どうしてかと云うともし山男が洋行したとするとやっぱり船に乗らなければならない、山男が船に乗って上海に寄ったりするのはあんまりおかしいと会長さんは考えたのでした。

　さてだんだん食事が進んではなしもはずみました。

「いやじっさいあの辺はひどい処（ところ）だよ。どうも六百からの棄権（きけん）ですからな。」

なんて云っている人もあり一方ではそろそろ大切な用談がはじまりかけました。

「ええと、失礼ですが山男さん、あなたはおいくつでいらっしゃいますか。」

「二十九です。」

「お若いですな。やはり一年は三百六十五日ですか。」

「一年は三百六十五日のときも三百六十六日のときもあります。」

「あなたはふだんどんなものをおあがりになりますか。」

「さよう。栗（くり）の実やわらびや野菜です。」

「野菜はあなたがおつくりになるのですか。」

「お日さまがおつくりになるのです。」

「どんなものですか。」

「さよう。みず、ほうな、しどけ、うど、そのほか、しめじ、きんたけなどです。」

「今年はうどの出来がどうですか」

「なかなかいいようですが、少しかおりが不足ですな。」

「雨の関係でしょうかな。」

「そうです。しかしどうしてもアスパラガスには叶（かな）いませんな。」

「へえ」

「アスパラガスやちしゃのようなものが山野に自生する様にならないと産業もほんとうではあり

ませんな。」

「へえ。ずいぶんなご卓見です。しかしあなたは紫紺のことはよくごぞんじでしょうな。」

みんなはしいんとなりました。これが今夜の眼目だったのです。山男はお酒をかぶりと呑んで云いました。

「しこん、しこんと。はてな聞いたようなことだがどうもよくわかりません。やはり知らないのですな。」

みんなはがっかりしてしまいました。なんだ、紫紺のことも知らない山男など一向用はないこんなやつに酒を呑ませたりしてつまらないことをした。もうあとはおれたちの懇親会だ、と云うつもりでめいめい勝手にのんで勝手にたべました。ところが山男にはそれが大へんうれしかったようでした。しきりにかぶりかぶりとお酒をのみました。お魚が出ると丸ごとけろりとたべました。野菜が出ると手をふところに入れたまま舌だけ出してべろりとなめてしまいます。

そして眼をまっかにして「へろれって、へろれって、けろれって、へろれって。」なんて途方もない声で咆えはじめました。さあみんなはだんだん気味悪くなりました。おまけに給仕がテーブルのはじの方で新しいお酒の瓶を抜いたときなどは山男は手を長くながくのばして横から取ってしまってラッパ呑みをはじめましたのでぶるぶるふるえ出した人もありました。そこで研究会の会長さんは元来おさむらいでしたから考えました。（これはどうもいかん。けしからん。こうみだれてしまっては仕方がない。一つひきしめてやろう。）くだものの出たのを合図に会長さんは立ちあがりました。けれども会長さんももうへろへろ酔っていたのです。

「ええ一寸一言(ちょっとひとこと)ご挨拶(あいさつ)申しあげます。今晩はお客様にはよくおいで下さいました。どうかおゆるりとおくつろぎ下さい。さて現今(げんこん)世界の大勢を見るに実にどうもこんらんして居る。ひとのものを横合からとる様なことが多い。実にふんがいにたえない。まだ世界は野蛮(やばん)からぬけない。けしからん。くそっ。ちょっ。」

　会長さんはまっかになってどなりました。みんなはびっくりしてぱくぱく会長さんの袖(そで)を引っぱって無理に座らせました。

　すると山男は面倒臭(めんどうくさ)そうにふところから手を出して立ちあがりました。

「ええ一寸一言ご挨拶を申し上げます。今晩はあついおもてなしにあずかりまして千万(せんばん)かたじけなく思います。どういうわけでこんなおもてなしにあずかるのか先刻からしきりに考えているのです。やはりどうもその先頃(せんころ)おたずねにあずかった紫紺についての様であります。そうして見ると私も本気で考え出さなければなりません。そう思って一生懸命(けんめい)思い出しました。ところが私は子供のとき母が乳がなくて濁(にご)り酒で育てて貰(もら)ったためにひどいアルコール中毒(ちゅうどく)なのであります。お酒を呑まないと物を忘れるので丁度(ちょうど)みなさまの反対であります。そのためについビールも一本失礼いたしました。そしてそのお蔭(かげ)でやっとおもいだしました。あれは現今西根山にはたくさんございます。私のおやじなどはしじゅうあれを掘(ほ)って町へ来て売ってお酒にかえたというはなしであります。おやじがどうもちかごろ紫紺も買う人はなし困ったと云ってこぼしているのも聞いたことがあります。それからあれを染めるには何でも黒いしめった土をつかうというはなしもぼんやりおぼえています。紫紺についてわたくしの知って居るのはこれだけであります。それで何かのご参考になればまことにしあわせです。さて考えて見ますとありがたいはなしでございます。私のおやじは紫紺の根を掘って来てお酒ととりかえましたが私は紫紺のはなしを一寸すればこんなに酔う位までお酒が呑めるのです。

そらこんなに酔う位です。」

山男は赤くなった顔を一つ右手でしごいて席へ座りました。

みんなはざわざわしました。工芸学校の先生は「黒いしめった土を使うこと」と手帳へ書いてポケットにしまいました。

そこでみんなは青いりんごの皮をむきはじめました。山男もむいてたべました。そして実をすっかりたべてからこんどはかまどをぱくりとたべました。それからちょっとそばをたべるような風にして皮もたべました。工芸学校の先生はちらっとそれを見ましたが知らないふりをして居りました。

さてだんだん夜も更けましたので会長さんが立って

「やあこれで解散だ。諸君めでたしめでたし。ワッハッハ。」とやって会は終わりました。

そこで山男は顔をまっかにして肩をゆすって一度にはしごだんを四つ位ずつ飛んで玄関へ降りて行きました。

みんなが見送ろうとあとをついて玄関まで行ったときは山男はもう居ませんでした。

丁度七つの森の一番はじめの森に片脚をかけた所だったのです。

さて紫紺染が東京大博覧会で二等賞をとるまでにはこんな苦心もあったというだけのおはなし

であります。

毒もみのすきな署長さん

どくもみのすきなしょちょうさん

四つのつめたい谷川が、カラコン山の氷河から出て、ごうごう白い泡をはいて、プハラの国にはいるのでした。四つの川はプハラの町で集まって一つの大きなしずかな川になりました。その川はふだんは水もすきとおり、淵には雲や樹の影もうつるのでしたが、一ぺん洪水になると、幅十町もある楊の生えた広い河原が、恐ろしく咆える水で、いっぱいになってしまったのです。けれども水が退きますと、もとのきれいな、白い河原があらわれました。その河原のところどころには、蘆やがまなどの岸に生えた、ほそ長い沼のようなものがありました。

それは昔の川の流れたあとで、洪水のたびにいくらか形も変わるのでしたが、すっかり無くなるということもありませんでした。その中には魚がたくさん居りました。殊にどじょうとなまずがたくさん居りました。けれどもプハラのひとたちは、どじょうやなまずは、みんなばかにして食べませんでしたから、それはいよいよ増えました。

なまずのつぎに多いのはやっぱり鯉と鮒でした。それからはやも居りました。ある年などは、そこに恐ろしい大きなちょうざめが、海から遁げて入って来たという、評判などもありました。けれども大人や賢い子供らは、みんな本当にしないで、笑っていました。第一それを云いだしたのは、剃刀を二梃しかもっていない、下手な床屋のリチキで、すこしもあてにならないのでした。

けれどもあんまり小さい子供らは、毎日ちょうざめを見ようとして、そこへ出かけて行きました。

いくらまじめに眺めていても、そんな巨きなちょうざめは、泳ぎも浮かびもしませんでしたから、しまいには、リチキは大へん軽べつされました。

さてこの国の第一条の
「火薬を使って鳥をとってはなりません、
毒もみをして魚をとってはなりません。」

というその毒もみというのは、何かと云いますと床屋のリチキはこう云う風に教えます
山椒の皮を春の午の日の暗夜に剝いて土用を二回かけて乾かしうすでよくつく、その目方一貫匁を天気のいい日にもみじの木を焼いてこしらえた木灰七百匁とまぜる、それを袋に入れて水の中へ手でもみ出すことです。

そうすると、魚はみんな毒をのんで、口をあぶあぶやりながら、白い腹を上にして浮かびあがるのです。そんなふうにして、水の中で死ぬことは、この国の語ではエップカップと云いました。これはずいぶんいい語です。

とにかくこの毒もみをするものを押さえるということは警察のいちばん大事な仕事でした。

ある夏、この町の警察へ、新しい署長さんが来ました。

この人は、どこか河獺に似ていました。赤ひげがぴんとはねて、歯はみんな銀の入歯でした。

署長さんは立派な金モールのついた、長い赤いマントを着て、毎日ていねいに町をみまわりまし

た。

驢馬が頭を下げてると荷物があんまり重過ぎないかと驢馬追いにたずねましたし家の中で赤ん坊があんまり泣いていると疱瘡の呪いを早くしないといけないとお母さんに教えました。

ところがそのころどうも規則の第一条を用いないものができてきました。あの河原のあちこちの大きな水たまりからいっこう魚が釣れなくなって時々は死んで腐ったものも浮いていました。また春の午の日の夜の間に町の中にたくさんある山椒の木がたびたびつるりと皮を剝かれて居りました。けれども署長さんも巡査もそんなことがあるかなあというふうでした。

ところがある朝手習の先生のうちの前の草原で二人の子供がみんなに囲まれて交る交る話していました。

「署長さんにうんと叱られたぞ」

「署長さんに叱られたかい。」少し大きなこどもがききました。

「叱られたよ。署長さんの居るのを知らないで石をなげたんだよ。するとあの沼の岸に署長さんが誰か三四人とかくれて毒もみをするものを押さえようとしていたんだ。」

「何と云って叱られた。」

「誰だ。石を投げるものは。おれたちは第一条の犯人を押さえようと思って一日ここに居るんだぞ。早く黙って帰れ。って云った。」

「じゃきっと間もなくつかまるねえ。」

ところがそれから半年ばかりたちますとまたこどもらが大さわぎです。

好評の既刊

＊印は5月の新刊

将棋　観戦記コレクション
後藤元気 編　半世紀以上にわたる名勝負と名文の出会いを厳選
43372-5 1600円+税

キッドのもと
浅草キッド　生い立ちから家族論まで、笑いと涙の自伝エッセイ
43370-1 760円+税

最高殊勲夫人
源氏鶏太　読み始めたら止まらない！　昭和のラブコメに御用心！
43385-5 800円+税

論語
齋藤孝 訳　大古典の現代語訳。原文と書き下し文も併録
43386-2 950円+税

ぽんこつ
阿川弘之　自動車解体業の青年とお嬢様の痛快ラブストーリー
43389-3 900円+税

増補 へんな毒 すごい毒
田中真知　動植物から人工毒まで。毒の世界を網羅する
43394-7 840円+税

人間なき復興　●原発避難と国民の「不理解」をめぐって
山下祐介／市村高志／佐藤彰彦　当事者の凄惨な体験を描く
43400-5 1200円+税

紅茶と薔薇の日々
森茉莉　早川茉莉 編　甘くて辛くて懐かしい！　解説・辛酸なめ子
43380-0 740円+税

贅沢貧乏のお洒落帖
森茉莉　早川茉莉 編　鷗外好みの帯に舶来の子供服。解説・黒柳徹子
43404-3 780円+税

幸福はただ私の部屋の中だけに
森茉莉　早川茉莉 編　贅沢貧乏の愛しい生活。解説・松田青子
43438-8 760円+税

仁義なきキリスト教史
架神恭介　世界最大の宗教の歴史がやくざ抗争史として甦える！
43403-6 880円+税

青春怪談
獅子文六　昭和の傑作ロマンティック・コメディ、遂に復刊！
43408-1 880円+税

聞書き　遊廓成駒屋
神崎宣武　名古屋・中村遊郭の制度、そこに生きた人々を描く
43398-5 840円+税

マウンティング女子の世界　●女は笑顔で殴りあう
瀧波ユカリ／犬山紙子　やめられない「私の方が上ですけど？」
43431-9 700円+税

消えたい　●虐待された人の生き方から知る心の幸せ
高橋和巳　人間の幸せに、本当に必要なものは何なのだろうか？
43432-6 780円+税

自由な自分になる本　増補版　●SELF CLEANING BOOK2
服部みれい　心身健やかに！　解説・川島小鳥
43430-2 780円+税

ブコウスキーの酔いどれ紀行
チャールズ・ブコウスキー　名言連発！　伝説的作家の笑えて切ないヨーロッパ紀行
43435-7 840円+税

セルフビルドの世界　●家やまちは自分で作る
石山修武＝文　中里和人＝写真　驚嘆必至！　手作りの家
43440-1 1400円+税

＊**末の末っ子**
阿川弘之　著者一家がモデルの極上家族エンタメ
43444-9 980円+税

＊**英絵辞典**　●目から覚える6000単語
岩田一男／真鍋博　真鍋博のイラストで学ぶ幻の英単語辞典
43442-5 1100円+税

価格は定価（本体価格＋税）です。6桁の数字はJANコードです。頭に978-4-480をつけてご利用下さい。

6月の新刊　●8日発売　ちくま学芸文庫

美少女美術史
池上英洋／荒井咲紀

■人々を惑わせる究極の美

幼く儚げな少女たち。この世の美を結晶化させたその姿に人類のどのような理想と欲望の歴史が刻まれているのか。カラー多数、200点の名画から読む。

09800-9
950円＋税

中世の窓から
阿部謹也

中世ヨーロッパに生じた産業革命にも比する大転換――。名もなき人びとの暮らしを丹念に辿り、その全体像を描き出す。大佛次郎賞受賞。（樺山紘一）

09801-6
1300円＋税

中国語はじめの一歩〔新版〕
木村英樹

発音や文法の初歩から、中国語の背景にあるものの考え方や対人観・世界観まで、身近なエピソードとともに解説。楽しく学べる中国語入門。

09764-4
1200円＋税

カニバリズム論
中野美代子

根源的タブーの人肉嗜食や、纏足、宦官……。目を背けたくなるものを冷静に論ずることで逆説的に人間の真実に迫る血の滴る異色の作品。（山田仁史）

09802-3
1200円＋税

日本の経済統制
中村隆英

■戦時・戦後の経験と教訓

戦時中から戦後にかけて経済への国家統制とはどのようなものであったのか。その歴史と内包する論理を実体験とともに明らかにした名著。（岡崎哲二）

09804-7
1000円＋税

価格は定価（本体価格＋税）です。6桁の数字はJANコードです。頭に978-4-480をつけてご利用下さい。
内容紹介の末尾のカッコ内は解説者です。

「そいつはもうたしかなんだよ。僕(ぼく)の証拠(しょうこ)というのはね、ゆうべお月さまの出るころ、署長さんが黒い衣だけ着て、頭巾(ずきん)をかぶってね、変な人と話してたんだよ。ね、そら、あの鉄砲(てっぽう)打ちの小さな変な人ね、そしてね、『おい、こんどはも少しよく、粉にして来なくちゃいかんぞ。』なんて云ってるだろう。それから鉄砲打ちが何か云ったら、『なんだ、柏(かしわ)の木の皮もまぜて置いた癖(くせ)に、一俵(ぴょう)二両(テール)だなんて、あんまり無法なことを云うな。』なんて云ってるだろう。きっと山椒の皮の粉のことだよ。」

するとも一人が叫(さけ)びました。

「あっ、そうだ。あのね、署長さんがね、僕のうちから、灰を二俵買ったよ。僕、持って行ったんだ。ね、そら、山椒の粉へまぜるのだろう。」

「そうだ。そうだ。きっとそうだ。」みんなは手を叩(たた)いたり、こぶしを握(にぎ)ったりしました。

床屋(とこや)のリチキは、商売がはやらないで、ひまなもんですから、あとでこの話をきいて、すぐ勘(かん)定(じょう)しました。

毒もみ収支計算

費用の部

一、金　二両　山椒皮　一俵

一、金　三十銭(メース)　灰　一俵

計　　二両三十銭也(なり)

収入の部

一、金　十三両(テール)　鰻(うなぎ)　十三斤(きん)
一、金　十両　その他見積(みつも)り
計　二十三両也(なり)
差引勘定(かんじょう)
二十両七十銭(メース)　署長利益

あんまりこんな話がさかんになって、とうとう小さな子供らまでが、巡査(じゅんさ)を見ると、わざと遠くへ遁(に)げて行って、

「毒(どく)もみ巡査、

なまずはよこせ。」

なんて、力いっぱいからだまで曲げて叫(さけ)んだりするもんですから、これではとてもいかんというので、プハラの町長さんも仕方なく、家来(けらい)を六人連れて警察に行って、署長さんに会いました。

二人が一緒(いっしょ)に応接室の椅子(いす)にこしかけたとき、署長さんの黄金(きん)いろの眼(め)は、どこかずうっと遠くの方を見ていました。

「署長さん、ご存じでしょうか、近頃(ちかごろ)、林野取締(とりしまり)法の第一条をやぶるものが大変あるそうですが、どうしたのでしょう。」

「はあ、そんなことがありますかな。」

「どうもあるそうですよ。わたしの家の山椒(さんしょう)の皮もはがれましたし、それに魚が、たびたび死んでうかびあがるというではありませんか。」

すると署長さんが何だか変にわらいました。けれどもそれも気のせいかしらと、町長さんは思いました。

「はあ、そんな評判がありますかな。」

「ありますとも。どうもそしてその、子供らが、あなたのしわざだと云いますが、困ったもんですな。」

署長さんは椅子から飛びあがりました。

「そいつは大へんだ。僕の名誉にも関係します。早速犯人をつかまえます。」

「何かおてがかりがありますか。」

「さあ、そうそう、ありますとも。ちゃんと証拠があがっています。」

「もうおわかりですか。」

「よくわかってます。実は毒もみは私ですがね。」

署長さんは町長さんの前へ顔をつき出してこの顔を見ろというようにしました。

町長さんも愕きました。

「あなた？　やっぱりそうでしたか。」

「そうです。」

「そんならもうたしかですね。」

「たしかですとも。」

署長さんは落ち着いて、卓子の上の鐘を一つカーンと叩いて、赤ひげのもじゃもじゃ生えた、第一等の探偵を呼びました。

さて署長さんは縄られて、裁判にかかり死刑ということにきまりました。

いよいよ巨きな曲がった刀で、首を落とされるとき、署長さんは笑って云いました。

「ああ、面白かった。おれはもう、毒もみのこととききたら、全く夢中なんだ。いよいよこんどは、地獄で毒もみをやるかな。」

みんなはすっかり感服しました。

税務署長の冒険

ぜいむしょちょうのぼうけん

一、濁密防止講演会

〔冒頭原稿数枚なし〕

イギリスの大学の試験では牛(オックス)でさえ酒を呑(の)ませると目方(めかた)が増すと云(い)います。又(また)これは実に人間エネルギーの根元(こんげん)です。酒は圧縮(あっしゅく)せる液体のパンと云うのは実に名言です。堀部安兵衛(ほりべやすべえ)が高田の馬場で三十人の仇討(あだう)ちさえ出来たのも実に酒の為(ため)にエネルギーが沢山(たくさん)あったからです。みなさん、国家のため世界のため大(おお)いに酒を呑んで下さい。」（小学校長が青くなっている。役場から云われて仕方なく学校を貸したのだが何が何でもこれではあんまりだと思ってすっかり青くなったな）と税務署長は思いました。けれどもそれは大ちがいで小学校長の青く見えたのはあんまりほめられて一そう酒が呑みたくなったのでした。なぜならこの校長さんは樽(たる)こ先生というあだ名で一ぺんに一升(しょう)ぐらいは何でもなかったのです。みんなはもちろん大賛成でうまいぞ、えらいぞ、と手をたたいてほめたのでした。税務署長がまた見掛(みか)けの太ったざっくばらんらしい男でいかにも正直らしくみんなが怒るかも知れないなんということは気にもとめずどんどん云いたいことを云いました。実際それはひどい悪口もあってどうしてもみんなひどく怒らなければならない筈なのにも係わらずみんなはほんとうに面白そうに何べんも何べんも手を叩いたり笑ったりして聞いていました。

そのはじめの方をちぢめて見ますとこんな工合です。

「濁密をやるにしてもさ、あんまり下手なことはやってもらいたくないな。なぁんだ、味噌桶の中に醪を仕込んで上に板をのせて味噌を塗って置く、ステッキでつっついて見るとすぐ板が出るじゃないか。厩の枯草の中にかくして置く、いい馬だなあ、乳もしぼれるかいと云うと顔いろを変えている。

新しい肥樽の中に仕込んで林の萱の中に置く。誰かにこっそり持って行かれても大声で怒られない。煤だらけの天井裏にこさえて置いて取って帰って来るときは眼をまっ赤にしている。できあがった酒だって見られたざまじゃない。どうせにごり酒だから濁っているのはいいとして酸っぱいのもある、甘いのもある、アイヌや生蕃にやってもまあご免蒙りましょうというようなのだ。そんなものはこの電燈時代の進歩した人類が呑むべきもんじゃない。どうせやるならなぜもう少し大仕掛けに設備を整えて共同ででもやらないか。すべからく米も電気で研ぐべし、しぼるときには水圧機を使うべし、乳酸菌を利用し、ピペット、ビーカー、ビュウレット立派な化学の試験器械を使って清潔に上等の酒をつくらないか。もっともその時は税金は出して貰いたい。そう云うふうにやるならばわれわれは実に歓迎する。技師やなんかの世話までして上げてもいい。こそこそ濁酒半分こうじのままの酒を三升つくって罰金を百円とられるよりは大びらでいい酒を七斗呑めよ。」

まだまだずいぶんひどく悪まれ口もきき耳の痛い筈なようなことも云いましたが誰も気持ち悪くする人はなく話が進めば進むほど、いよいよみんな愉快そうに顔を熱らして笑ったり手を叩いたりしました。

どうもおかしいどうもおかしい、どうもおかしいとみんなの顔つきをきょろきょろ見ながらその割合ざっくばらんの少しずるい税務署長が思いました。税務署長の考えではうんと悪口を云ってどれ位赤くなって怒る人があるかを見て大体その村の濁密の数を勘定しようと云うのでした。それがいけないようでしたから今度はだんだんおどしにかかって青くなる人を見てやろうと思いました。

ところがやっぱり面白そうに笑います。

税務署長は気が気でなく卒倒しそうになって頭に手をあげました。

全体こんなにおれの悪口をよろこんで笑うのはみんなが一人も密造をしていないのか、それともおれの心底がわかっているのか、どうも気味が悪い、よしもう一つだけ山をかけて見ようと思って最後にコップの水を一口のんでできる丈け落ち着いて斯う云いました。

「正直を云うとみんながどんなにこっそり濁密をやった所でおれの方ではちゃんとわかっている。この会衆の中にも七人のおれの方への密告者がまじっているのだ。」

みんなはしいんとなりました。それからザアッと鳴りました。さあ、ここだおれを撲りにかかるやつがあるぞ、遁みちはちゃんときまっている、あしたの午ころみんな仕事に出たころ係二十人一斉に自転車でやって来てそいつを押さえてしまう、斯う考えて税務署長はシラトリキチに眼くばせして次を云いました。

「おれの方では誰の家の納屋の中に何斗あるか誰の家の床下に何升あるかちゃんと表になってあるのだ。」するとどうです、いまあれほど気が立ったみんなが一斉に面白そうにどっと吹き出したのです。もうだめだ、おしまいだ、しくじったと署長は思いました。そしてもうすっかりぐるぐるして壇を下りてしまいました。

二、税務署長歓迎会

税務署長が壇を下りましたらすぐ名誉村長が笑いながら少しかがんで署長の前にやって来ました。そして礼をして云いました。
「ただ今は実に有益なご講演を寔に感謝いたします。何もございませんがいささか歓迎のしるしまで一献さしあげたいと存じます。ご迷惑は重々でございましょうがどうかじきそこまで御光来を願いとう存じます。」
税務署長はいよいよ卒倒しそうになって
「いや、それはよろしい。」とかすれた声で返事しました。「では、」村長はみんなの方に向いて
「今晩の講演会はこれで閉会といたします。」と云ってから又署長たちの方に向き直って「さあ、

ではどうぞ。」と右手で玄関の方を指しました。署長はなんとも変な気がしましたが仕方なくシラトリ属と一緒に村長たちに案内されて小学校の玄関を出すぐ一町ばかりさきの村会議員の家に行きました。村会議員の家は立派なもので五十畳の広間にはあかりがぞろっとともり正面には銀屏風が立ってそこに二人は座らされました。すぐ村の有志たちが三十人ばかりきちんと座りました。たちまち立派な膳がならびたしかに税金を納めてある透明な黄いろないい酒が座をまわりはじめました。

みんなが交る交る税務署長のところへ盃を持ってやって来ました。

「いや、本日はお疲れでございましょう。失礼ながら献盃致しまする。」

「や、ありがとう、どうも悪口を云って済まなかった。どうも悪まれ商売でね、いやになるよ。」

「どう致しまして。閣下のような献身的のお方ばかりでしたら実に国家も大発展です。さあどうぞ。」

「はっはっは、いや、ありがとう。」なんて云う工合でシラトリキチ氏の云ったようにだんだんみんなの心は融けて来たように見えましたが実は税務署長は決して油断をしないで絶えず左右に眼を配っていました。そのうちにいよいよみんなは酔ってしまってだんだん本音を吹いて来ました。

「や、署長さん。一杯いかが、どうです。ワッハッハ。濁り酒、味噌桶に作るというのはあんまり旧式だな。もっと最新法の方はいいな。おい、署長さん。さあ、一杯いかが、私の盃をあなた取りませんか。閣下ぁ、ハッハッハ。さあ一杯、」

「いや、わかった。わかった。いや、今晩は実に酩(めい)ていした。辱(かたじ)けない。」

「ワッハッハ。やあ、今度はシラトリさん、さあ、おやりなさい。男子はすべからく決然たるところがなくてはだめですよ。さあ、高田の馬場で堀部安兵衛(ほりべやすべえ)金丸が三十人を切ったのは実際酒の力だ、面白(おもしろ)い、牛も酒を呑(の)むと酔(よ)うというのは面白い。さあ一杯(いっぱい)。なかなかあなたは酒が強い。さあ一杯。」

　一人が行ったと思うと又(また)一人が来るのでした。

「署長さん。はじめてお目通りを致(いた)します。」

「いやはじめて。」

「はじめて、はてなさっきも来ましたかな、二度目だ、ハッハッハ。署長さん、いや献杯(けんぱい)、つつしんで献杯仕(つかまつ)ります。ハッハッハこの村の濁(にご)り酒はもう手に取るようにわかっている、本当にか、さあ、本当ならいつでもやって来い。来るか、畜生(ちくしょう)、来て見やがれ。アッハッハ、失礼、署長さん署長さん、もう斯(こ)うなったらいっそのこと無礼講(ぶれいこう)にしましょう。無礼講。おおい、みんな無礼講だぞ、そもそもだ、濁密(だくみつ)の害悪は国家も保証する、税務署も保証すると、ううい。献杯、いや献杯、」

「もう沢山(たくさん)、」

「遁(に)げるのか、遁げる気か。ようし、ようし、その気なら許さんぞ。献杯、さあ献杯だ、おおい貴様(きさま)ぁ。」

　税務署長はもうすっかり酔っていました。シラトリ属も酔ってはいました。けれども二人とも決して職業も忘れず又油断もしなかったのです。

　それでももうぐたぐたになって何もかもわからないというふりをしていました。それにくらべたら村の方の人たちこそ却って本当に酔ってしまったのでした。そのうちに税務署長は少し酒の匂いが変わって来たのに気がつきました。たしかに今までの酒とはちがった酒が座をまわりはじめていました。署長は見ないふりをしながらよく気をつけて盃を見ましたが少しも濁ってはいませんでした。どうもおかしい。これは決してここらのどの酒屋でできる酒でもない、他県から来るのだってもう大ていはきまっている。どうもおかしいと斯う署長はひとりで考えました。そのうちさっきの村会議員が又やって来てきちんと座って云いました。

「いや、もう閣下、ひどくご無礼をいたしました。こんな乱雑な席にご光来をねがいまして面目次第もございません。ただもうほんの村民の志だけをお汲み下されまして至らぬところ又すぎました処は平にご容謝をねがいます。」

　署長はすっかり酔った風をしながら笑って答えました。

「いや、君、こんな愉快なうちとけた宴会ははじめてだよ。こんなことならたびたびやって来たいもんだね。斯う出られたら困るだろう。」

　村会議員はちらっと署長を見あげました。本当はまだ酔っていないなと気がついたのです。署長が又云いました。

「どうも斯う高い税金のかかった酒を斯う多分に貰っちゃお気の毒だ。一つ内密でこの村だけ無税にしようかな。」

「いや、ハッハッハ。ご冗談。」村会議員は少しあわてて台所の方へ引っ込んで行きました。

「もう失礼しよう、おい君。」署長は立ちあがりました。

「もうお帰りですか。まあまあ。」村長やみんなが立って留めようとしたときそこはもう商売で署長と白鳥属とはまるで忍術のように座敷から姿を消し台所にあった靴をつまんだと思うともう二人の自転車は暗い田圃みちをときどき懐中電燈をぱっぱっとさせて一目散にハーナムキヤの町の方へ走っていたのです。

三、署長室の策戦

次の日税務署長は役所へ出て自分の室に入り出勤簿を検査しますとチリンチリンと卓上ベルを鳴らして給仕を呼び「デンドウイを呼べ。」とあごで云いつけました。

すぐ白服のデンドウイ属がいかにも敬虔に入って来ました。

「まあ掛け給え。」署長はやさしく云って話の口をきりました。

「ユグチュユモトの村へ出張して呉れ給え。」

「は、」

「変装して行って貰いたいな。一寸売薬商人がいいだろう。あの千金丹の洋傘があった筈だね。」

「は、ございます。」

「じゃ、ライオン堂へ行ってこれでウィスキーを一本買ってねそれから広告をくばってやるからと云って何かのちらしを二百枚も貰いたまえ。そいつを持って入って行くんだ。君の顔は誰も知ってやしない。どうもあの村はわからないとこがある。どうも誰かがどこかで一斗や二斗でなしにつくっている。一つ豪胆にうまくやって呉れ給え。」

「は、畏まりました。」

デンドウイ属はもう胸がわくわくしました。うまく見付けて帰って来よう、そしたら月給だってもうきっと三円はあがる、ひとつまるっきり探偵風になってやろう。

「概算旅費を受け取って行きたまえ。」署長はまた云いました。

「ありがとうございます。」デンドウイ属は礼をして自分の席へ帰ってそれから会計へ行って七日間の概算旅費を受け取って自分の下宿へ帰って行きました。

さて八日目の朝署長が役所へ出て出勤簿を検査してそれから机の上へ両手を重ねてふうと一つ息をしたとき、扉がかたっと開いてデンドウイ属があの八日前の白服のままでまた入って来ました。どうもその顔がひどくやつれて見えました。署長は思わず椅子をかたっと云わせました。

「どうだったね、少しはわかりましたか。」心配そうにそれにまたにこにこしながら訊いたのです。

「どうもいけませんでした。あの村には濁密はないようであります。」

「そうですか。どう云うようにしてしらべました。」署長は少しこわい顔をしました。

「ニタナイのとこに丁度老人でなくなった人があったのです。人が集まったらいずれ酒を呑まないでいないからと存じましてすぐその前のうちへ無理に一晩泊めて貰いました。するとそのうちからみんな手伝いに参りまして道具やなんかも貸したのでございます。私は二階からじっと隣りの人たちの云うことを一晩寝ないで聞いて居りました。すると夜中すぎに酒が出ました。もう一語でもききもらすまいと思っていましたら、そのうち一人がすうと口をまげて歯へ風を入れたような音がしました。これはもうどうしても濁り酒でないと思っていましたら、」

「ふんふん、なかなか君の観察は鋭い。それから。」

「そしたら一人が斯う云いました。いい、ほんとにいい、これではもうイーハトヴの友もなにも及ばないな。と云いました。イーハトヴの友も及ばないとしますとても密造酒ではないと存じました。」

「その酒の名前を聞きましたか。」

「私は北の輝だろうと思います。」

署長は俄かにこわい顔をしました。

「いいや、北の輝じゃない。断じてそうでない。そのいい酒がどこから出来ているかどの県から入ってるかそれをよくしらべに君をたのんだのだ。けれどもそしてそれからあとの七日君はいったい何をして居たのだ。」

「それからあとは毎日林の中や谷をあるいて山地密造酒を探して居りました。」

「あったか。」

「ありませんでした。」

「見給え。そんな藪の中にこっそり作るようなそんなのじゃない。どこか床下をほるかなんかしても少し大きくやっているだろうとはじめから僕が注意して置いたじゃないか。」

デンドウイ属はもう頭を垂れてしまいました。そのやつれた青い顔を見ると署長もまた少し気の毒になって来ました。

「いや、よろしい。帰ってやすみ給え。ご苦労でした。シラトリ君に一寸来いと云って呉れ給え。」

デンドウイ属はしおしお出て行きました。間もなく、例のシラトリ属がすまし込んで入って来ました。

「君、ユグチュユモトへ行ってくれ給え。却ってそのままの方がいい。あのね、この前の村会議員のとこへ行ってね、僕からと云う口上でね、先ころはごちそうをいただいて実にありがとう、と、ね、その節席上で戯談半分酒造会社設立のことをおはなししたところ何だか大分本気らしいご挨拶があったとね、で一つこの際こちらから技術員も出すから模範的なその造酒工場をその村ではじめてはどうだろう、原料も丁度そちらのは醸造に適していると斯う吹っかけて見てじっと顔いろを見て呉れ給え。きっと向こうが資本がありませんでと斯う云うからね、そしたらどうでしょう半官半民風にやろうじゃありませんかと斯うやって呉れ給え。そしてその返事をもうせき一つまでよく覚え込んで帰って呉れ給え。いますぐです。今日中に帰れるだろう、あしたは休んでもいいから。」

「帰れます。」シラトリキキチ氏はしゃんと礼をして出て行きました。署長はもう一生けん命何かを考え込んで昼飯さえ忘れる風でした。ひるすぎはそわそわ窓に立ってシラトリ属の帰るのをいまかいまかと待っていました。

ところがシラトリ属は夕方になっても帰りませんでした。

署長はもうみんなも帰る時分だしと思って自分も一ぺん家へ帰るふりをして町をぐるっとまわりみんなが戻ったころまた役所へ来て小使に自分の室へ電燈をつけさせて待っていました。すると八時過ぎて玄関でがたっと自転車を置いた音がしてそれからシラトリ属がまるで息を切らして帰って来たのです。

「どうだった。」署長は待ち兼ねてそう訊ねました。

「だめです。」

「いけなかったか。」署長はがっかりしました。

「仰しゃったとおり云ってだまって向こうの顔いろを見ていたのですけれどもまるで反応がありませんな、さあ、まあそんなことも仰しゃっておいでですがどうもお役人方の仰しゃることはご無理もあればむずかしいことも多くてなんててんでとり合わないのです。」

「顔色を変えなかったか。」

「少しも変わりませんでした。」

「それからどうした。」

「仕方ありませんからそこを出て村の居酒屋へいきなり乗り込んであった位の酒を瓶詰のものはかり売のも全部片っぱしから検査しました。」

「うんうん。そしたら。」

「そしたら瓶詰はみんなイーハトヴの友でしたしはかり売のはたしかに北の輝です。」

「北の輝の方がいくらか廉いんだな。」

「そうです。」

「たしかに北の輝かね。」

「そうです。それから酒屋の主人に帳簿を出さしてしらべて見ましたが酒の売れ高がこのごろ毎年減って行くようであります。」

「おかしいな。前にはあの村はみんな濁り酒ばかり呑んでいたのにこのごろ検挙が厳しくてだんだん密造が減るならば清酒の売れ高はいくらかずつ増さなければいけない。」

「けれどもどうも前ぐらいは誰も酒を呑まないようであります。」

「そうかね。」

「それに酒屋の主人のはなしでは近頃は道路もよくなったし荷馬車も通るのでどこの家でもみんな町から直かに買うからこっちはだんだん商売がすたれると云いました。」

「おかしいぞ。そんなに町からどしどし買って行くくらいの現金があの村にある筈はない。どうもおかしい。よろしい。こんどは私が行って見よう。どうもおかしい。明日から三四日留守するからね。あとをよく気をつけて呉れ給え。さあ帰ってやすみ給え。」

　税務署長は唇に指をあて、眼を変に光らせて考え込みながらそろそろ帰り支度をしました。

四、署長の探偵

税務署長のその晩の下宿での仕度ときたら実際科学的なもんだった。

まず第一にひげをはさみでじゃきじゃき刈りとって次に揮発油へ木タールを少しまぜて茶いろな液体をつくって顔から首すじいっぱいに手にも塗った。鼻の横や耳の下には殊に濃く塗ったのだ。それからアスファルトの屋根材の継目に塗りつける黒いペイントを顎のとこへ大きな点につけてしばらくの間じっとそんな油や何かの乾くのを待ってたが　それがきれいに乾くとこんどは鏡台の引出しをあけてにせものの金歯を二枚出して犬歯へはめました。すると税務署長がすっかり変わってしまって請負師か何かの大将のように見えて来た。それから署長は押し入れからふだん魚釣りに行くときにつかう古いきゅうくつな上着を出して着ておまけに乗馬ズボンと長靴をはいた。そして葉書入れを逆まにしてしばらく古い名刺をしらべていたがその中からトケイ乾物商サエタコキチと書いたやつをえらんでうちかくしへ入れた。独りものの署長のことだから実際こんなことができたのだ。それから帽子をかぶり洋傘を持って外へ出たけれども何と思ったかもう一ぺん長靴をぬいでそれを持って座敷へあがった。古い新聞紙を鏡の前の畳へ敷いて又長靴をはいてちゃんと立って鏡をのぞいてさあもうにかにかにかにかにかし出した。

それから俄かにまじめになってしばらく顔をくしゃくしゃにしていたがいよいよ勇気に充ちて来たらしく一ぺんに畳をはね越えておもてに飛び出し大股に通りをまがった。実にその晩の夜も十時すぎに勇敢な献身的なこの署長は町の安宿へ行って一晩とめて呉れと云った。そしたらまじめにお湯はどうかとか夕飯はいらないかとか宿屋では聞いた。署長はもうすっかり占めたと思ったのだ。そして次の朝早く署長はユグチュユモトの村へ向かった。

　村の入口に来てさっそく署長はあの小売酒屋へ行った。

「ええ伺いますが、この村の椎蕈山はどちらでしょうか。」

「椎蕈山かね。おまえさんは買付けに来たのかい。」

「へえ、そうです。」

「そんなら組合へ行ったらいいだろう。」

「組合はどちらでございましょう。」

「こっから十町ばかりこのみちをまっすぐに行くとね、学校がある、」

　知ってるとも、そこでおれが講演までしてひどい目にあってるじゃないか、署長は腹の底で思った。

「その学校の向かいに産業組合事務所って看板がかけてあるからそこへ行って談したらいいだろう。」

「そうですか。どうもありがとうございました。お蔭さまでございます。」署長はまるで飛ぶようにおもてに出てまた戻って来た。

「どうもせいがきれていけない。一杯くれませんか。ええ瓶でない方。ううい。いい酒ですね。何て云います。」

「北の輝です。」

「これはいい酒だ。ここへ来てこんな酒を呑もうと思わなかった。どこで売ります。」

「私のとこでおろしもしますよ。」

「はあ、しかし町で買った方が安いでしょう。」

「そうでもありません。」

「だめだ。持って行くにひどいから。」

署長は金を十銭おいて又飛び出した。それから組合事務所へ行った。さあもうつかまえるぞ今日中につかまえるぞ、署長はひとりで思った。ところが事務所にはたった一人髪をてかてか分けて白いしごきをだらりとした若者が椅子に座って何か書いていた。こいつはうまいと署長は思った。

「今日は、いいお天気でございます。ごめん下さい。私はトケイから参りました斯う云うものでございますがどうかお取次をねがいます。」署長はあの古い名刺をだいぶ黄いろになってるぞと思いながら出した。若者は率直に立って「ああそうすか。」と云って名刺を受けとったがあとは何も云わないでもじもじしていた。

「今朝はまだどなたもお見えにならないんですか。」

「はあ、見えないで。」若者は当惑したように答えた。

「ええ、ではお待ちいたします、どうかお構いなく。いかがでございましょう。本年は椎蕈の方は。この雨でだいぶ豊作でございましょうね。」

「あんまりよくないそうだよ。」

「はあいや匂いやなにかは悪いでしょうが生えることは沢山生えましてございましょうね。」

「できたろう。」若者はだんだん言も粗末になって来た。

「どうでしょうね。わたしゃ東京の乾物屋なんだが貸しの代わりに酒をたくさんとったのがあるんだがどうでしょう。椎蕈ととり代えるのを承知下さらないでしょうかね。安くしますが。」

「さあだめだろう。酒はこっちにもあるんだから。」

「町から買うんでしょう。」

「いいや。」

「どこかに酒屋があるんですか。」

「酒屋ってわけじゃない。」

　さあ署長はどきっとしました。

「どこですか。」

「どこって、組合とはまた別だからね。」若者はぴたっと口をつぐんでしまいました。さあ税務署長はまるで踊りあがるような気がした。もうただ一息だ。少なくとも月一石ずつつくってあちこちへ四五升ずつ売っているやつがある。今日中にはきっとつかまえてしまうぞ。

「椎蕈山は遠いんですか。」

「一里あるよ。」

「このみちを行っていいんですか。」

「行けるよ。」

「それでは私山の方へ行って見ますからね、向こうにも係りの方がおいででしょう。」

「居るよ。」

「ではそうしましょう。こっちでいつまでも待ってるよりはどうせ行かなきゃいけないんだから。ではお邪魔(じゃま)さまでした、いまにまた伺(うかが)います。」

署長は小さな組合の小屋を出た。少し行ったらみちが二つにわかれた。署長はちょっと迷ったけれども向こうから十五ばかりになる子供が草をしょって来るのを見て待っていて訊(き)いた。

「おい、椎蕈山(しいたけやま)へはどう行くね。」

するとその子供はよく聞こえないらしく顔をかしげて眼(め)を片っ方つぶって云(い)った。

「どこね、会社へかね。」会社、さあ大変だと署長は思った。

「ああ会社だよ。会社は椎蕈山とは近いんだろう。」

「ちがうよ。椎蕈山こっちだし会社ならこっちだ。」

「会社まで何里あるね。」

「一里だよ。」

「どうだろう。会社から毎日荷馬車の便りがあるだろうか。」

「三日に一度ぐらいだよ。」

ふん、その会社は木材の会社でもなきゃ醋酸(さくさん)の会社でもない、途方(とほう)もないことをしてやがる、行ってつかまえてしまうと署長はもうどぎどぎして眼がくらむようにさえ思った。そして子供はまた重い荷をしょって行ってしまった。署長はまるではじめて汽車に乗る小学校の子供のように勇んでみちを進んで行った。それから丁度半里ばかり行ったらもう山になった。みちは谷に沿った細いきれいな台地を進んで行ったがまだ荷馬車のわだちははっきり切り込んでいた。向こうに枯草の三角な丘が見えてそこを雲の影がゆっくりはせた。

「おい、どこへ行くんだい。」ホークを持ち首に黒いハンケチを結び付けた一人の立派な男が道の左手の小さな家の前に立って署長に叫んだ。

「椎蕈山へ行きますよ。」署長は落ちついて答えた。

「椎蕈山こっちじゃない。すっかりみちをまちがったな。」青年が怒ったように含み声で云った。

「そうですか。ここからそっちの方へ出るみちはないでしょうか。」

「ないね、戻るより仕方ないよ。」

「そうですか。では戻りましょう。」もう喧嘩をしたらとても勝てない。一たまりもないと思ったから署長は大急ぎで一つおじぎをして戻り出した。もう大ていいいだろうと思ってうしろをちょっと振り返って見たらその若者はみちのまん中に傲然と立ってまるでにらみ殺すようにこっちを見ていた。そのそばには心配そうな身ぶりをした若い女がより添っていたのだ。署長はまるで足が地につかないような気がした。もういまの家のも少し川上にちゃんと小さな密造所がたっているんだ。毎月三四石ずつ出している。大した脱税だ。よし山をまわって行っても見てやろうと考えた。そしてずっと下ってまがり角を三つ四つまがってから、非常に警戒しながらふり向いて見るともう向こうは一本の松の木が崖の上につき出ているばかりすっかりあの男も家も見えなくなっていた。さあいまだと税務署長は考えて一とびにみちから横の草の崖に飛びあがった。それからめちゃくちゃにその丘をのぼった。丘の頂上には小さな三角標があってそこから頂がずうっと向こうのあの三角な丘までつづいていた。税務署長は汗を拭くひまもなく息をやすめるひまもなくそのきらきらする枯草をこいでそっちの方へ進んだ。どこかで蜂か何かがぶうぶう鳴り風はかれ草や松やにのいい匂いを運んで来た。

　ちょっとふりかえって見るとユグチュユモトの村は平和にきれいに横たわり、そのずうっと向こうには河が銀の帯になって流れその岸にはハーナムキヤの町の赤い煙突も見えた。

　署長はちょっとの間濁密をさがすなんてことをいやになってしまった、けれどもまた気を取り直してあの三角山の方へつつじに足をとられたりしながら急いだ。実にあのペイントを塗った顔から黒い汗がぼとぼとに落ちてシャツを黄いろに染めたのだ。ところが三角山の上まで来ると思わず署長は息を殺した。すぐ下の谷間にちょっと見ると椎蕈乾燥場のような形の可成大きな小屋がたって煙突もあったのだ。そして殊にあやしいことは小屋がきっぱりうしろの崖にくっついて建ててあっておまけにその崖が柔らかな岩をわざと切り崩したものらしかった。たしかにその小屋の奥手から岩を切ってこさえた室があって大ていの仕事はそこでやっているらしく思われた。これはもう余程の大きさだ。小さな酒屋ぐらいのことはある、たしかにさっきの語のとおり会社にちがいない、いったい誰々の仕事だろう、どうもあの村会議員はあやしい、巡査を借りてやって来て村の方とこっちと一ぺんに手を入れないと証拠があがらない、誰か来るかも知れない今日一日見ていようと税務署長は頬杖をついて見ていた。するとまるで注文通り小屋の中からさっきの若い男がぽろっと出て来た。それから手を大きく振ったように見えた、と思うと、おおい、サキチと叫ぶ声が聞こえて来た。見ると荷馬車が一台おいてある。その横から膝の曲がった男が出て来て二人一緒に小屋へ入った。さあ大変だと署長が思っていたら間もなく二人は大きな二斗樽を両方から持って出て来た。そしてどっこいという風に荷馬車にのっけてあたりをじっと見まわした。馬が黒くてかてか光っていたし谷はごうと流れてしずかなもんだった、署長はもう興奮して頭をやけに振った。二人はまた小屋へ入った。そして又腰をかがめて樽を持って来た。と思ったらすぐあとからまた一人出て来た。そして荷馬車の上に立って川下の方を見ている。二人はまた中へ入った、そして又樽を持って出て来たもんだ、（さあ、これでもう六斗になるまさかこれっきりだろう、これっきりにしても月六石になる大した脱税だ）と署長は考えた。ところがまた出て来た。そしてまた入ってまた出て来た。もう一石だ月十石だと署長はぐるぐるしてしまった。ところが又入ったのだ。こんどは月十二石だ、それからこんどは十四石十六石十八石、二十石とそこまで署長が夢のように計算したときは荷馬車の上はもう樽でぎっしりだった。すると三人がそれへ小屋の横から松の生枝をのせたりかぶせたりし出した。

　見る間にすっかり縛られて車が青くなり樽が見えなくなってもう誰が見ても山から松枝をテレピン工場へでも運ぶとしか見えなくなった。荷馬車がうごき出した。馬がじっさい蹄をけるようにし、よほど重そうに見えた。するとさっきの若い男は荷馬車のあとへついた。それから十間ばかり行く間一番おしまいに小屋から出た男は腕を組んで立って待っていたが俄かに歩き出してやっぱりついて行った。（実に巧妙だ。一体こんなことをいつからやっていたろう。さあもうあの小屋に誰も居ない、今のうちにすっかりしらべてしまおう、証拠書類もきっとある。）税務署長は風のように三角山のてっぺんから小屋をめがけてかけおりた。ところが小屋の入口はちゃんと洋風の錠が下りていたのだ。（さあもういよいよ誰も居ない。あいつが村まで行って帰るまでどうしても二時間はかかる。どこからか入らなきゃならない。）税務署長は狐のようにうろうろ小屋のまわりをめぐった。すると一とこ窓が一分ばかりあいていた。署長はそこへ爪を入れて押し上げて見たらカラッと硝子は上にのぼった。もう有頂天になって中へ飛び込んで見るとくらくて急には何も見えなかったががらんとした何もない室だった。煙突の出てるのは次の室らしかった。急いでそっちへかけて行って見たらあったあったもう径二米ほどの大きな鉄釜がちゃんと煉瓦で組んで据えつけられている。署長は眼をこすってよく室の中を見まわした。隅の棚のとこにアセチレン燈が一つあった。マッチも添えてあった。すばやくそれをおろしてみたらたったいま使ったらしくまだあつかった。栓をねじって瓦斯を吹き出させ火をつけたら室の中は俄かに明るくなった。署長はまるで突貫する兵隊のような勢いでその奥の室へ入った。そこは白い凝灰岩をきり開いた室でたしか四十坪はあると署長は見てとった。奥の方には二十石入の酒樽が十五本ばかりずらっとならび横には麹室らしい別の室さえあったのだ。おまけにビューレットも純粋培養の乳酸菌もピペットも何から何まで実に整然とそろっていたのだ。（ああもうだめだ、おれの講演を手を叩いて笑ったやつはみんな同類なのだ。あの村半分以上引っ括らなければならない。もうとても大変だ）署長はあぶなく倒れそうになった。その時だ、何か黄いろなようなものがさっとうしろの方で光った。

見ると小屋の入口の扉があいて二人の黒い人かげがこっちへ入って来ているではないか。税務署長はちょっと鹿踊りのような足つきをしたがとっさにふっとアセチレンの火を消した。そしてそろそろとあの十五本の暗い酒だるのかげの方へ走った。足音と語ががんがん反響してやって来た。「いぬだいぬだ。」「かくれてるぞかくれてるぞ。」「ふんじばっちまえ。」「おい、気を付けろ、ピストルぐらい持ってるぞ。」ズドンと一発やりたいなと署長は思った。とたん、アセチレンの火が向こうでとまった。青じろいいやな焔をあげながらその火は注意深くこっちの方へやって来た。「酒だるのうしろだぞ」二人は這うようにそろそろとやって来た。

署長はくるくると樽の間をすりまわった。

そしたらとうとう桶と桶の間のあんまりせまい処へはさまってのくも引くもできなくなってしまった。

アセチレンの火はすぐ横から足もとへやって来た。と思うと黒い太い手がやって来ていきなり署長のくびをつかまえた。ガアンと頭が鳴った。署長は自分が酒桶の前の広場へ蟹のようになって倒れているのを見た。まるで力もなにもなかった。アセチレン燈もまだ持っている。

「立て、こん畜生太いやつだ。炭焼がまの中へ入れちまうから、そう思え。」

(炭焼がまの中に入れられたらおれの煙は木のけむりといっしょに山に立つ。あんまり情ない。)

署長は青ざめながら考えた。

「誰だ、きさん、収税だろう。」

「いいや。」署長は気の毒なような返事をした。

「とにかく引っ括れ。」一人が顎でさし図した。一人はアセチレンをそこへ置いてまるで風のようにうごいて綱を持って来た。署長はくるくるにしばられてしまった。

「おい、おれが番してるから早く社長と鑑査役に知らせて来い。」

「おお。」一人は又すばやくかけて出て行った。

「おい、云わないかこん畜生、貴さん収税だろう。」

「そうでない。」

「収税でなくて何しに入るんだ。」署長はようやく気を取り直した。

「おいらトケイの乾物商だよ。」

「トケイの乾物商が何しにこんなとこへ来るんだ。」

「椎蕈買いに来たよ。」

「椎蕈。」

「ああここで椎蕈つくってると思ったから見ていたんだ。名刺もちゃんと組合の方へ置いてある。」

「正直な椎蕈商が何しに錠前のかかった家の窓からくぐり込むんだ。」

「椎蕈小屋の中へはいったっていいと思ったんだ。外で待っていても厭きたからついはいって見たんだよ。」

「うん。そう云やそうだなあ。」ここだと署長は思った。みんなの来ないうちに早く遁げないともうほんとうに殺されてしまう。もう一生けん命だと考えた。

「おい、いい加減にして縄をといて呉れよ。椎蕈はいくらでも高く買うからさ。おれだってトケイにゃ妻も子供もあるんだ。ここらへ来て、こんな目にあっちゃ叶わねえ。どうか縄をといて呉れよ。」

「うん、まあいまみんな来るから少し待てよ。よく聞いてから社長や重役の方へ申しあげりゃよかったなあ。」

「だからさ、遁がして呉れよ。おれお前にあとでトケイへ帰ったら百円送るからさ。」

「まあ少し待てよ。」ああもう少し待ったらどんなことになるかわからない。署長はぐるぐるしてまた倒れそうになった。

ところがもういけなかったのだ。入口の方がどやどやして実に六人ばかりの黒い影が走り込んで来た。(もう地獄だ、これっきりだ。)署長は思った。今まで番をしていた男は立ってそれを迎えた。ぐるっとみんなが署長を囲んだ。

「こいつはトケイの椎蕈商人だそうです。椎蕈を買おうと思って来たんだそうです。」

「うん。さっき組合へうさんなやつが名刺を置いて行ったそうだがこいつだろう。」りんとした声が云った。署長は聞きおぼえのある声だと思って顔をあげたらじっさいぎくりとしてしまった。それは名誉村長だった。しばらくしんとした。

「どうだ。放してやるか。」また一人が云った。署長は横目でそっちを見上げた。あの村会議員なのだ。

「いや、よく調べないといけません。念に念を入れないとあとでとんだことになります。」署長はまたちらっとそっちを見た。それはあの講演の時青くなった小学校長だった。すなわちわれらの樽コ先生ではないか。

「いいえ、こいつはさっき一ぺん私が番所から追い帰したのです。どうもあやしいと思いましたからとがめましたら椎蕈山はこっちかと云うんです。こっちじゃない帰れ帰れって云いましたらそうですかここらからまわるみちはないかとまた云いやがるんです。ないない。帰れと云いましたら仕方なく戻って行きました。そいつをいつの間にどこをまわってここへ入ったかもうこいつはきっと税務署のまわしものです。」

「うん。そう云えばどうもおれにもつらに見おぼえがある。表へ引っぱり出してみろ。てめえは行って番所に居ろ。」社長の名誉村長が云った。

「立てこの野郎」署長はえり首をつかまえられて猫のように引っぱり出された。おもてへ出て見ると日光は実に暖かくぽかぽか飴色に照っていた。（おれが炭焼がまに入れられて炭化されてもお日さまはやっぱりこんなにきれいに照っているんだなあ。）署長はぼっと夢のように考えた。

「何だこいつは税務署長じゃないか。」名誉村長はびっくりしたように叫んだ。それからみんなはにゅうと遁げるようなかたちになった。署長はもうすっかり決心してすっくと立ちあがった。

「いかにもおれは税務署長だ。きさまらはよくも国家の法律を犯してこんな大それたことをしたな。おれは早くからにらんでいたのだ。もうすっかり証拠があがっている。おれのことなどは潰すなり灼くなり勝手にしろ。もう準備はちゃんとできている。きさまたちは密造罪と職務執行妨害罪と殺人罪で一人残らず検挙されるからそう思え。」

社長も鑑査役も実に青くなってしまった。しばらくみんなしいんとした。

ここだと署長が考えた。

「さあ、おれを殺すなら殺せ、官吏が公務のために倒れることはもう当然だ。」署長は大へんいい気持がした。といきなりうしろから一つがぁんとやられた。又かと思いながら署長が倒れたらみんな一ぺんに殺気立った。

「木へ吊るせ吊るせ。なあに証拠だなんてまだ挙がってる筈はない。こいつ一人片付ければもう大丈夫だ。樺花の炭釜に入れちまえ。」たちまち署長は松の木へつるしあげられてしまった。村会議員が出て云った。

「この野郎、ひとの家でご馳走になったのも忘れてずうずうしい野郎だ。ゆぶしをかけるか。」

「野蛮なことをするな。」署長が吊られて苦しがってばたばたしながら云った。

「とにかく善後策を講じようじゃないか。まあ中で相談するとしよう。」村長が云った。

みんなは中へはいった。署長は木の上で気が遠くなってしまった。

五、署長のかん禁

しばらくたって署長は自分があの奥の室の中に入れられているのを気がついた。頭には冷たい巾がのせてあったし毛布もかけてあった。いちばんあとから小屋を出た男が虔しく番をしながら看病していた。おもてではがやがやみんなが談していた。何でも善後策を協議しているか酒盛りをやっているらしかった。署長がからだをうごかしたらすぐその若者が近くへ寄って模様を見た。それから戸をあけてそしても一つ戸をあけて外の大きな室に出て行った。と思うと名誉村長が入って来た。茶いろの洋服を着ていた。（そして見るとおれは二日か三日寝ていたんだな。）署長は考えた。名誉村長は座って恭しく礼をして云った。

「署長さん。先日はどうも飛んだ乱暴をいたしました。

実は前後の見境いもなくあんなことをいたしましてお申し訳ございません。実は私どもの方でもあなたの方のお手入があんまり厳しいためつい会社組織にしてこんなことまでいたしましたような訳で誠に面目次第もございません。就きましていかがでございましょう。私どもの会社ももうかっきり今日ぎり解散いたしまして酒は全部私の名義でつくったとして税金も納めます。あなたはお宅まで自働車でお送りいたしますがこの度限り特にご内密にねがいませんでしょうか。」

署長はもう勝ったと思った。

「いやお語で痛み入ります。私も職務上いろいろいたしましたがお立場はよくわかって居ります。しかしどうも事ここに至れば到底内密ということはでき兼ねる次第です。もう談がすっかりひろがって居りますからどうしても二三人の犠牲者はいたし方ありますまい。尤も私に関するさまざまのことはこれは決して公にいたしません。まあ罰金だけ納めて下さってそれでいいような訳です。」

「それがそのどうも私どももはじめ名前を出したくないので。」

この時だ、表が俄かにやかましくなって烈しい叫声や組討ちの音が起こった。まるでもう嵐のようだった。

「署長署長」誰かが叫んだ。署長はばっと立ちあがった。

「おお、ここに居るぞよくやったよくやった。シラトリ、ここに居るぞ。」

すぐ二三人が室の戸をけやぶって入って来た。

「署長、ご健勝で。もうみんな捕縛しました。」とシラトリ属が泣いてかけて来た。

「よくわかったなあ、警察の方もたのんだか。」

「ええ総動員です。二十人捕縛してあります。この方は。」

「名誉村長だ。けれども仕方ない縄をかけ申せ。」署長はわくわくして云った。

「署長ご健勝で。」署員たちが向こう鉢巻をしたり棍棒をもったりしてかけ寄った。署長は痛いからだを室から出た。

「樽にみんな封印しろ。証拠品は小さな器具だけ、集めろ。その乳酸菌の培養も。うん。よろしい。いやどうもご苦労をねがいました。」署長は巡査部長に挨拶した。

「お変わりなくて結構です。いや本署でも大へん心配いたしました。おい。みんな外へ引っぱれ。」

そしてもうぞろぞろみんなはイーハトヴ密造会社の工場を出たのだ。五分ののちこの変な行列があの番所の少し向こうを通っていた。

署長は名誉村長とならんで歩いていた。

「今日は何日だ。」署長はふっとうしろを向いてシラトリ属にきいた。「五日です。」

「ああもうあの日から四日たっているなあ。ちょっとの間に木の芽が大きくなった。」

署長はそらを見あげた。春らしいしめった白い雲が丘の山からぼおっと出てくろもじのにおいが風にふうっと漂って来た。

「ああいい匂いだな。」署長が云った。

「いい匂いですな。」名誉村長が云った。

或る農学生の日誌

あるのうがくせいのにっし

序

ぼくは農学校の三年生になったときから今日まで三年の間のぼくの日誌を公開する。

どうせぼくは字も文章も下手だ。ぼくと同じように本気に仕事にかかった人でなかったらこんなもの実に厭な面白くもないものにちがいない。いまぼくが読み返して見てさえ実に意気地なく野蛮なような気のするところがたくさんあるのだ。ちょうど小学校の読本の村のことを書いたところのようにじつにうそらしくてわざとらしくていやなところがあるのだ。けれどもぼくのはほんとうだから仕方ない。ぼくらは空想でならどんなことでもすることができる。けれどもほんとうの仕事はみんなこんなにじみなのだ。そしてその仕事をまじめにしているともう考えることも考えることもみんなじみな、そうだ、じみというよりはやぼな所謂田舎臭いものに変わってしまう。

ぼくはひがんで云うのでない。けれどもぼくが父とふたりでいろいろな仕事のことを云いながらはたらいているところを読んだら、ぼくを軽べつする人がきっと沢山あるだろう。そんなやつをぼくは叩きつけてやりたい。ぼくは人を軽べつするかそうでなければ妬むことしかできないやつらはいちばん卑怯なものだと思う。ぼくのように働いている仲間よ、仲間よ、ぼくたちはこんな卑怯さを世界から無くしてしまおうでないか。

一九二五、四月一日　火曜日　晴

今日から新しい一学期だ。けれども学校へ行っても何だか張合いがなかった。一年生はまだはいらないし三年生は居ない。居ないのでないもうこっちが三年生なのだが、あの挨拶を待ってそっと横眼で威張っている卑怯な上級生が居ないのだ。そこで何だか今まで頭をぶっつけた低い天井裏が無くなったような気もするけれどもまた支柱をみんな取ってしまった桜の木のような気もする。今日の実習にはそれをやった。去年の九月古い競馬場のまわりから掘って来て植えて置いたのだ。今ごろ支柱を取るのはまだ早いだろうとみんな思った。なぜならこれからちょうど小さな根が出るころなのに西風はまだまだ吹くから幹がてこになってそれを切るのだ。けれども菊池先生はみんな除らせた。花が咲くのに支柱があっては見っともないと云うのだけれども桜が咲くにはまだ一月もその余もある。菊池先生は春になったのでただ面白くてあれを取ったのだとおもう。

その古い縄だの冬の間のごみだの運動場の隅へ集めて燃やした。そこでほかの実習の組の人たちは羨ましがった。午前中その実習をして放課になった。教科書がまだ来ないので明日もやっぱり実習だという。午后はみんなでテニスコートを直したりした。

四月二日　水曜日　晴

今日は三年生は地質と土性の実習だった。斉藤先生が先に立って女学校の裏で洪積層と第三紀の泥岩の露出を見てそれからだんだん土性を調べながら小船渡の北上の岸へ行った。河へ出ている広い泥岩の露出で奇体なギザギザのあるくるみの化石だの赤い高師小僧だのたくさん拾った。それから川岸を下って朝日橋を渡って砂利になった広い河原へ出てみんなで鉄鎚でいろいろな岩石の標本を集めた。河原からはもうかげろうがゆらゆら立って向こうの水などは何だか風のように見えた。河原で分かれて二時頃うちへ帰った。

そして晩まで垣根を結って手伝った。あしたはやすみだ。

四月三日　今日はいい付けられて一日古い桑の根掘りをしたので大へんつかれた。

四月四日、上田君と高橋君は今日も学校へ来なかった。上田君は師範学校の試験を受けたそうだけれどもまだ入ったかどうかはわからない。なぜ農学校を二年もやってから師範学校なんかへ行くのだろう。高橋君は家で稼いでいてあとは学校へは行かないと云ったそうだ。高橋君のところは去年の旱魃がいちばんひどかったそうだから今年はずいぶん難儀するだろう。それへ較べたらうちなんかは半分でもいくらでも穫れたのだからいい方だ。今年は肥料だのすっかり僕が考えてきっと去年の埋め合わせを付ける。実習は苗代掘りだった。去年の秋小さな盛りにしていた土を崩すだけだったから何でもなかった。教科書がたいてい来たそうだ。ただ測量と園芸が来ないとか云っていた。あしたは日曜だけれども無くならないうちに買いに行こう。僕は国語と修身は農事試験場へ行った工藤さんから譲られてあるから残りは九冊だけだ。

四月五日　日

南万丁目へ屋根換えの手伝いにやられた。なかなかひどかった。屋根の上にのぼっていたら南の方に学校が長々と横たわっているように見えた。ぼくは何だか今日は一日あの学校の生徒でないような気がした。教科書は明日買う。

四月六日　月

今日は入学式だった。ぼんやりとしてそれでいて何だか堅苦しそうにしている新入生はおかしなものだ。ところがいまにみんな暴れ出す。来年になるとあれがみんな二年生になっていい気になる。さ来年はみんな僕らのようになってまた新入生をわらう。そう考えると何だか変な気がする。伊藤君と行って本屋へ教科書を九冊だけとって置いて貰うように頼んで置いた。

四月七日　火、朝父から金を貰って教科書を買った。

そして今日から授業だ。測量はたしかに面白い。地図を見るのも面白い。ぜんたいここらの田や畑でほんとうの反別になっている処がないと武田先生が云った。それだから仕事の予定も肥料の入れようも見当がつかないのだ。僕はもう少し習ったらうちの田をみんな一枚ずつ測って帳面に綴じて置く。そして肥料だのすっかり考えてやる。きっと今年は去年の旱魃の埋め合わせと、それから僕の授業料ぐらいを穫って見せる。実習は今日も苗代掘りだった。

四月八日、水、今日は実習はなくて学校の行進歌の練習をした。僕らが歌って一年生がまねをするのだ。けれどもぼくは何だか圧しつけられるようであの行進歌はきらいだ。何だかあの歌を歌うと頭が痛くなるような気がする。実習の方が却っていいくらいだ。学校から纏めて注文するというので僕は苹果を二本と葡萄を一本頼んで置いた。

四月九日〔以下空白〕

一千九百二十五年五月五日　晴

まだ朝の風は冷たいけれども学校へ上り口の公園の桜は咲いた。けれどもぼくは桜の花はあんまり好きでない。朝日にすかされたのを木の下から見ると何だか蛙の卵のような気がする。それにすぐ古くさい歌やなんか思い出すしまた歌など詠むのろのろしたような昔の人を考えるからどうもいやだ。そんなことがなかったら僕はもっと好きだったかも知れない。誰も桜が立派だなんて云わなかったら僕はきっと大声でそのきれいさを叫んだかも知れない。僕は却ってたんぽぽの毛の方を好きだ。夕陽になんか照らされたらいくら立派だか知れない。

今日の実習は陸稲播きで面白かった。みんなで二うねずつやるのだ。ぼくは杭を借りて来て定規をあてて播いた。種子が間隔を正しくまっすぐになった時はうれしかった。いまに芽を出せばその通り青く見えるんだ。学校の田のなかにはきっとひばりの巣が三つ四つある。実習している間になんべんも降りたのだ。けれども飛びあがる所はつい見なかった。ひばりは降りるときはわざと巣からはなれて降りるから飛びあがるとこを見なければ巣のありかはわからない。

一千九百二十五年五月六日

今日学校で武田先生から三年生の修学旅行のはなしがあった。今月の十八日の夜十時で発って二十三日まで札幌から室蘭をまわって来るのだそうだ。先生は手に取るように向こうの景色だの見て来ることだの話した。

津軽海峡、トラピスト、函館、五稜郭、えぞ富士、白樺、小樽、札幌の大学、麦酒会社、博物館、デンマーク人の農場、苫小牧、白老のアイヌ部落、室蘭、ああ僕は数えただけで胸が踊る。五時間目には菊池先生がうちへ宛てた手紙を渡して、またいろいろ話された。武田先生と菊池先生がついて行かれるのだそうだ。行く人が二十八人にならなければやめるそうだ。それは県の規則が全級の三分の一以上参加するようになってるからだそうだ。けれども学校へ十九円納めるのだしあと五円もかかるそうだから。きっと行けると思う人はと云ったら内藤君や四人だけ手をあげた。みんな町の人たちだ。うちではやってくれるだろうか。父が居ないので母へだけ話したけれども母は心配そうに眼(め)をあげただけで何とも云わなかった。けれどもきっと父はやってくれるだろう。そしたら僕は大きな手帳へ二冊も書いて来て見せよう。

五月七日
今朝(けさ)父へ学校からの手紙を渡(わた)してそれからいろいろ先生の云ったことを話そうとした。すると父は手紙を読んでしまってあとはなぜか大へんあたりに気兼(きが)ねしたようすで僕が半分しか云わないうちに止めてしまった。そしてよく相談するからと云った。祖母や母に気兼ねをしているのかもしれない。

五月八日　行く人が大ぶあるようだ。けれどもうちでは誰(たれ)も何とも云わない。だから僕はずいぶんつらい。

五月九日、
三時間目に菊池先生がまたいろいろ話された。行くときまった人はみんな面白そうにして聞いていた。僕は頭が熱くて痛くなった。ああ北海道、雑嚢(ざつのう)を下げてマントをぐるぐる捲(ま)いて肩(かた)にかけて津軽海峡をみんなと船で渡ったらどんなに嬉(うれ)しいだろう。

五月十日　今日もだめだ。

五月十一日　日曜　曇（くもり）　午前は母や祖母といっしょに田打ちをした。午后（ごご）はうちのひば垣（がき）をはさんだ。何だか修学旅行の話が出てから家中へんになってしまった。僕（ぼく）はもう行かなくてもいい。行かなくてもいいから学校ではあと授業の時間に行く人を調べたり旅行の話をしたりしなければいいのだ。

北海道なんか何だ。ぼくは今に働いて自分で金をもうけてどこへでも行くんだ。ブラジルへでも行って見せる。

五月十二日、今日また人数を調べた。二十八人に四人足りなかった。みんなは僕だの斉藤（さいとう）君だの行かないので旅行が不成立になると云（い）ってしきりに責めた。武田先生まで何だか変な顔をして僕に行けと云う。僕はほんとうにつらい。明後日（あさって）までにすっかり決まるのだ。夕方父が帰って炉（ろ）ばたに居たからぼくは思い切って父にもう一度学校の事情を云った。

すると父が母もまだ伊勢詣（いせまい）りさえしないのだし祖母だって伊勢詣り一ぺんとここらの観音巡（かんのんめぐ）り一ぺんしただけこの十何年死ぬまでに善光寺（ぜんこうじ）へお詣りしたいとそればかり云っているのだ、ことに去年からのここら全体の旱魃（かんばつ）でいま外へ遊んで歩くなんてことはとなりやみんなへ悪くてどうもいけないということを云った。

僕はいくら下を向いていても炉のなかへ涙（なみだ）がこぼれて仕方なかった。それでもしばらくたってからそんなら僕はもう行かなくてもいいからと云った。ぼくはみんなが修学旅行へ発（た）つ間休みだといって学校は欠席しようと思ったのだ。すると父がまたしばらくだまっていたがとにかくもいちど相談するからと云ってあとはいろいろ稲の種類のことだのふだんきかないようなことまでぼくにきいた。ぼくはけれども気持ちがさっぱりした。

五月十三日　今日学校から帰って田へ行って見たら母だけ一人居て何だか嬉しそうにして田の畦を切っていた。何かあったのかと思ってきいたら、今にお父さんから聞けといった。ぼくはきっと修学旅行のことだと思った。僕もそこで母が家へ帰るまで田打ちをして助けた。

けれども父はまだ帰って来ない。

五月十四日、昨夜父が晩く帰って来て、僕を修学旅行にやると云った。母も嬉しそうだったし祖母もいろいろ向こうのことを聞いたことを云った。祖母の云うのはみんな北海道開拓当時のことらしくて熊だのアイヌだの南瓜の飯や玉蜀黍の団子やいまとはよほどちがうだろうと思われた。今日学校へ行って武田先生へ行くと云って届けたら先生も大へんよろこんだ。もうあと二人足りないけれども定員を超えたことにして県へは申請書を出したそうだ。ぼくはもう行ってきっとすっかり見て来る、そしてみんなへ詳しく話すのだ。

一九二五、五、一八、

汽車は闇のなかをどんどん北へ走って行く。盛岡の上のそらがまだぼうっと明るく濁って見える。黒い藪だの松林だのぐんぐん窓を通って行く。北上山地の上のへりが時々かすかに見える。
さあいよいよぼくらも岩手県をはなれるのだ。
うちではみんなもう寝ただろう。祖母さんはぼくにお守りを貸してくれた。さよなら、北上山地、北上川、岩手県の夜の風、今武田先生が廻ってみんなの席の工合や何かを見て行った。

五月十九日

*

いま汽車は青森県の海岸を走っている。海は針をたくさん並べたように光っているし木のいっぱい生えた三角な島もある。いま見ているこの白い海が太平洋なのだ。その向こうにアメリカがほんとうにあるのだ。ぼくは何だか変な気がする。
海が岬で見えなくなった。松林だ。また見える。次は浅虫だ。石を載せた屋根も見える。何て愉快だろう。

*

青森の町は盛岡ぐらいだった。停車場の前にはバナナだの苹果だの売る人がたくさんいた。待合室は大きくてたくさんの人が顔を洗ったり物を食べたりしている。待合室で白い服を着た車掌みたいな人が蕎麦も売っているのはおかしい。

*

船はいま黒い煙を青森の方へ長くひいて下北半島と津軽半島の間を通って海峡へ出るところだ。

みんなは校歌をうたっている。けむりの影は波にうつって黒い鏡のようだ。津軽半島の方はまるで学校にある広重の絵のようだ。山の谷がみんな海まで来ているのだ。そして海岸にわずかの砂浜があってそこには巨きな黒松の並木のある街道が通っている。少し大きな谷には小さな家が二三十も建っていてそこの浜には五六そうの舟もある。さっきから見えていた白い燈台はすぐそこだ。ぼくは船が横を通る間にだまってすっかり見てやろう。絵が上手だといいんだけれども僕は絵は描けないから覚えて行ってみんな話すのだ。風は寒いけれどもいい天気だ。僕は少しも船に酔わない。ほかにも誰も酔ったものはない。

＊

いるかの群が船の横を通っている。いちばんはじめに見附けたのは僕だ。ちょっと向こうを見たら何か黒いものが波から抜け出て小さな弧を描いてまた波へはいったのでどうしたのかと思って見ていたらまたすぐ近くにも出た。それからあっちにもこっちにも出た。そこでぼくはみんなに知らせた。何だか手を気を付けの姿勢で水を出たり入ったりしているようで滑稽だ。

先生も何だかわからなかったようだったが漁師の頭らしい洋服を着た肥った人があいるかですと云った。あんまりみんな甲板のこっち側へばかり来たものだから少し船が傾いた。

風が出て来た。

何だか波が高くなって来た。

東も西も海だ。向こうにもう北海道が見える。何だか工合がわるくなって来た。

＊

いま汽車は函館を発って小樽へ向かって走っている。窓の外はまっくらだ。もう十一時だ。函館の公園はたったいま見て来たばかりだけれどもまるで夢のようだ。
巨きな桜へみんな百ぐらいずつの電燈がついていた。それに赤や青の灯や池にはかきつばたの形した電燈の仕掛けものそれに港の船の灯や電車の火花じつにうつくしかった。けれどもぼくは昨夜からよく寝ないのでつかれた。書かないで置いたってあんなうつくしい景色は忘れない。それからひるは過燐酸の工場と五稜郭、過燐酸石灰、硫酸もつくる。

五月二十日

*

いま窓の右手にえぞ富士が見える。火山だ。頭が平たい。焼いた枕木でこさえた小さな家がある。熊笹が茂っている。植民地だ。

*

いま小樽の公園に居る。高等商業の標本室も見てきた。馬鈴薯からできるもの百五六十種の標本が面白かった。
この公園も丘になっている。白樺がたくさんある。まっ青な小樽湾が一目だ。軍艦が入っているので海軍には旗も立っている。時間があれば見せるのだがと武田先生が云った。ベンチへ座ってやすんでいると赤い蟹をゆでたのを売りに来る。何だか怖いようだ。よくあんなの食べるものだ。

＊

一千九百二十五年十月十六日

一時間目の修身の講義が済んでもまだ時間が余っていたら校長が何でも質問していいと云った。けれども誰も黙っていて下を向いているばかりだった。ききたいことは僕だってみんなだって沢山あるのだ。けれどもぼくらがほんとうにききたいことをきくと先生はきっと顔をおかしくするからだめなのだ。

なぜ修身がほんとうにわれわれのしなければならないと信ずることを教えるものなら、どんな質問でも出さしてはっきりそれをほんとうかうそか示さないのだろう。

一千九百二十五年十月二十五日

今日は土性調査の実習だった。僕は第二班の班長で図板をもった。あとは五人でハムマアだの検土杖だの試験紙だの塩化加里の瓶だの持って学校を出るときの愉快さは何とも云われなかった。谷先生もほんとうに愉快そうだった。六班がみんな思い思いの計画で別々のコースをとって調査にかかった。僕は郡で調べたのをちゃんと写して予察図にして持っていたからほかの班のようにまごつかなかった。けれどもなかなかわからない。郡のも十万分一だしほんの大体しか調ばっていない。猿ヶ石川の南の平地は十時半ころまでにできた。それからは洪積層が旧天王の安山集塊岩の丘つづきのにも被さっているかがいちばんの疑問だったけれどもぼくたちは集塊岩のいくつもの露頭を丘の頂部近くで見附けた。結局洪積紀は地形図の百四十米の線以下という大体の見当も附けてあとは先生が云ったように木の育ち工合や何かを参照して決めた。ぼくは土性の調査よりも地質の方が面白い。土性の方ならただ土をしらべてその場所を地図の上にその色で取って行くだけなのだが地質の方は考えなければいけないしその考えがなかなかうまくあたるのだから。

　ぼくらは松林の中だの萱の中で何べんもほかの班に出会った。みんなぼくらの地図をのぞきたがった。

　萱の中からは何べんも雉子も飛んだ。

　耕地整理になっているところがやっぱり旱害で稲は殆んど仕付からなかったらしく赤いみじかい雑草が生えておまけに一ぱいにひびわれていた。

　やっと仕付かった所も少しも分蘗せず赤くなって実のはいらない稲がそのまま刈りとられずに立っていた。耕地整理の先に立った人はみんなの為にしたのだそうだけれどもほんとうにひどいだろう。ぼくらはそこの土性もすっかりしらべた。水さえ来るならきっと将来は反当三石まではとれるようにできると思う。

　午后一時に約束の通り各班が猿ヶ石川の岸にあるきれいな安山集塊岩の露出のところに集まった。どこからか小梨を貰ったと云って先生はみんなに分けた。ぼくたちはそこで地図を塗りなおしたりした。先生はその場所では誰のもいいとも悪いとも云わなかった。しばらくやすんでから、こんどはみんなで先生について川の北の花崗岩だの三紀の泥岩だのまではいった込んだ地質や土性のところを教わってあるいた。図は次の月曜までに清書して出すことにした。
　ぼくはあの図を出して先生に直してもらったら次の日曜に高橋君を頼んで僕のうちの近所のをすっかりこしらえてしまうんだ。僕のうちの近くなら洪積と沖積があるきりだしずっと簡単だ。それでも肥料の入れようやなんかまるでちがうんだから。いまならみんなはまるで反対にやってるんでないかと思う。

　一九二五、十一月十日。
　今日実習が済んでから農舎の前に立ってグラジオラスの球根の旱してあるのを見ていたら武田先生も鶏小屋の消毒だか済んで硫黄華をずぼんへいっぱいつけて来られた。そしてやっぱり球根を見ていられたがそこから大きなのを三つばかり取って僕に呉れた。僕がもじもじしているとこれは新しい高価い種類だよ。君にだけやるから来春植えて見たまえと云った。すると農場の方から花の係りの内藤先生が来たら武田先生は大へんあわててポケットへしまって置きたまえ、と云った。ぼくは変な気がしたけれども仕方なくポケットへ入れた。すると武田先生は急いで農舎の中へはいって農具だか何だか整理し出した。ぼくはいやで仕方なかったので内藤先生が行ってからそっと球根をむしろの中へ返して、急いで校舎へ入って実習服を着換えてうちに帰った。

　一千九百二十六年三月二十〔一字分空白〕日、

塩水撰をやった。うちのが済んでから楢戸のもやった。

本にある通りの比重でやったら亀の尾は半分も残らなかった。去年の旱害はいちばんよかった所でもこんな工合だったのだ。けれども陸羽一三二号の方は三割位しか浮く分がなかった。それでも塩水撰をかけたので恰度六斗あったから本田の一町一反分には充分だろう。とにかく僕は今日半日で大丈夫五十円の仕事はした訳だ。なぜならいままでは塩水撰をしないでやっと反当二石そこそこしかとっていなかったのを今度はあちこちの農事試験場の発表のように一割の二斗ずつの増収としても一町一反では二石二斗になるのだ。みんなにもほんとうにいいということが判るようになったら、ぼくは同じ塩水で長根ぜんたいのをやるようにしよう。一軒のうちで三十円ずつ得してもこの部落全体では四百五十円になる。それが五六人ただ半日の仕事なのだ。塩水撰をする間は父はそこらの冬の間のごみを集めて焼いた。籾ができると父は細長くきれいに藁を通して編んだ俵につめて中へつめた。あれは合理的だと思う。湧水がないので、あのつつみへ漬けた。氷がまだどての陰には浮いているからちょうど摂氏零度ぐらいだろう。十二月にどてのひびを埋めてから水は六分目までたまっていた。今年こそきっといいのだ。あんなひどい旱魃が二年続いたことさえいままでの気象の統計にはなかったというくらいだもの、どんな偶然が集まったって今年まで続くなんてことはない筈だ。気候さえあたり前だったら今年は僕はきっといままでの旱魃の損害を恢復して見せる。そして来年からはもううちの経済も楽にするし長根ぜんたいまできっと生々した愉快なものにして見せる。

一千九百二十六年六月十四日　今日はやっと正午から七時まで番水があたったので樋番をした。何せ去年からの巨きなひびもあると見えて水はなかなかたまらなかった。くろへ腰掛けてこぼこぼはって行く温い水へ足を入れていてついとろっとしたらなんだかぼくが稲になったような気がした。そしてぼくが桃いろをした熱病にかかっていてそこへいま水が来たのでぼくは足から水を吸いあげているのだった。どきっとして眼をさました。水がこぼこぼ裂目のところで泡を吹きながらインクのようにゆっくりゆっくりひろがって行ったのだ。

水が来なくなって下田の代掻ができなくなってから今日で恰度十二日雨が降らない。いったいそらがどう変わったのだろう。あんな旱魃の二年続いた記録が無いと測候所が云ったのにこれで三年続くわけでないか。大堰の水もまるで四寸ぐらいしかない。

夕方になってやっといままでの分へ一わたり水がかかった。

三時ごろ水がさっぱり来なくなったからどうしたのかと思って大堰の下の岐れまで行ってみたら権十がこっちをとめてじぶんの方へ向けていた。ぼくはまるで権十が甘藍の夜盗虫みたいな気がした。顔がむくむく膨れていて、おまけにあんな冠らなくてもいいような穴のあいたつばの下がった土方しゃっぽをかぶってその上からまた頬かぶりをしているのだ。

手も足も膨れているからぼくはまるで権十が夜盗虫みたいな気がした。何をするんだと云ったら、なんだ、農学校終わったたって自分だけいいことをするなと云うのだ。

ぼくもむっとした。何だ、農学校など終わっても終わらなくてもいまはぼくのとこの番にあたって水を引いているのだ。それを盗んで行くとは何だ。と云ったら、学校へ入ったんでしゃべれるようになったもんな、と云う。ぼくはもう大きな石を叩きつけてやろうとさえ思った。けれども権十はそのまま行ってしまったから、ぼくは水をうちの方へ向け直した。やっぱり権十はぼくを子供だと思ってぼくだけ居たものだからあんなことをしたのだ。いまにみろ、ぼくは卑怯なやつらはみんな片っぱしから叩きつけてやるから。

一千九百二十七年八月二十一日

稲がとうとう倒れてしまった。ぼくはもうどうしていいかわからない。あれぐらい昨日までしっかりしていたのに、明方の烈しい雷雨からさっきまでにほとんど半分倒れてしまった。喜作のもこっそり行って見たけれどもやっぱり倒れた。いまもまだ降っている。父はわらって大丈夫大丈夫だと云うけれどもそれはぼくをなだめるためでじつは大へんひどいのだ。母はまるでぼくのことばかり心配している。ぼくはうちの稲が倒れただけなら何でもないのだ。ぼくが肥料を教えた喜作のだってそれだけなら何でもない。それだけならぼくは冬に鉄道へ出ても行商してもきっと取り返しをつける。けれども、あれぐらい手入れをしてあれぐらい肥料を考えてやってそれでこんなになるのならもう村はどこももっとよくなる見込はないのだ。ぼくはどこへも相談に行くとこがない。学校へ行ったってだめだ。……先生はああ倒れたのか、苗が弱くはなかったかな、あんまり力を落としてはいけないよ、ぐらいのことを云って笑うだけのもんだ。日誌、日誌、ぼくはこの書きつける日誌がなかったら今夜どうしているだろう。せきはとめたし落とし口は切ったし田のなかへはまだ入られないしどうすることもできずだまってあのぼしょぼしょしたりまたおどすように強くなったりする雨の音を聞いていなければならないのだ。いったいこの雨があしたのうちに晴れるだなんてことがあるだろうか。

ああ、どうでもいい、なるようになるんだ。あした雨が晴れるか晴れないかよりも、今夜ぼくが………を一足つくれることの方がよっぽどたしかなんだから。

なめとこ山の熊

なめとこやまのくま

なめとこ山の熊（くま）のことならおもしろい。なめとこ山は大きな山だ。淵沢川（ふちざわ）はなめとこ山から出て来る。なめとこ山は一年のうち大ていの日はつめたい霧（きり）か雲かを吸ったり吐（は）いたりしている。まわりもみんな青黒いなまこや海坊主（うみぼうず）のような山だ。山のなかごろに大きな洞穴（ほらあな）ががらんとあいている。そこから淵沢川がいきなり三百尺ぐらいの滝（たき）になってひのきやいたやのしげみの中をごうと落ちて来る。

中山街道（かいどう）はこのごろは誰（たれ）も歩かないから蕗（ふき）やいたどりがいっぱいに生えたり牛が遁（に）げて登らないように柵（さく）をみちにたてたりしているけれどもそこをがさがさ三里ばかり行くと向こうの方で風が山の頂（いただき）を通っているような音がする。気をつけてそっちを見ると何だかわけのわからない白い細長いものが山をうごいて落ちてけむりを立てているのがわかる。それがなめとこ山の大空滝だ。そして昔はそのへんには熊がごちゃごちゃ居たそうだ。ほんとうはなめとこ山も熊の胆（い）も私は自分で見たのではない。人から聞いたり考えたりしたことばかりだ。間（ま）ちがっているかも知れないけれども私はそう思うのだ。とにかくなめとこ山の熊の胆は名高いものになっている。

腹の痛いのにも利（き）けば傷もなおる。鉛（なまり）の湯の入口になめとこ山の熊の胆ありという昔からの看板もかかっている。だからもう熊はなめとこ山で赤い舌をべろべろ吐いて谷をわたったり熊の子供らがすもうをとっておしまいぽかぽか撲りあったりしていることはたしかだ。熊捕りの名人の淵沢小十郎がそれを片っぱしから捕ったのだ。

　淵沢小十郎はすがめの赭黒いごりごりしたおやじで胴は小さな臼ぐらいはあったし掌は北島の毘沙門さんの病気をなおすための手形ぐらい大きく厚かった。小十郎は夏なら菩提樹の皮でこさえたけらを着てはんばきをはき生蕃の使うような山刀とポルトガル伝来というような大きな重い鉄砲をもってたくましい黄いろな犬をつれてなめとこ山からしどけ沢から三つ又からサッカイの山からマミ穴森から白沢からまるで縦横にあるいた。木がいっぱい生えているから谷を溯っているとまるで青黒いトンネルの中を行くようで時にはぱっと緑と黄金いろに明るくなることもあればそこら中が花が咲いたように日光が落ちていることもある。そこを小十郎が、まるで自分の座敷の中を歩いているという風でゆっくりのっしのっしとやって行く。犬はさきに立って崖を横這いに走ったりざぶんと水にかけ込んだり淵ののろのろした気味の悪いとこをもう一生けん命に泳いでやっと向こうの岩にのぼるとからだをぶるぶるっとして毛をたてて水をふるい落としそれから鼻をしかめて主人の来るのを待っている。小十郎は膝から上にまるで屏風のような白い波をたてながらコムパスのように足を抜き差しして口を少し曲げながらやって来る。そこであんまり一ぺんに云ってしまって悪いけれどもなめとこ山あたりの熊は小十郎をすきなのだ。その証拠には熊どもは小十郎がぼちゃぼちゃ谷をこいだり谷の岸の細い平らないっぱいにあざみなどの生えているとこを通るときはだまって高いとこから見送っているのだ。木の上から両手で枝にとりついたり崖の上で膝をかかえて座ったりしておもしろそうに小十郎を見送っているのだ。まったく熊どもは小十郎の犬さえすきなようだった。けれどもいくら熊どもだってすっかり小十郎とぶっつかって犬がまるで火のついたまりのようになって飛びつき小十郎が眼をまるで変に光らして鉄砲をこっちへ構えることはあんまりすきではなかった。そのときは大ていの熊は迷惑そうに手をふってそんなことをされるのを断わった。けれども熊もいろいろだから気の烈しいやつならごうごう咆えて立ちあがって、犬などはまるで踏みつぶしそうにしながら小十郎の方へ両手を出してかかって行く。小十郎はぴったり落ち着いて樹をたてにして立ちながら熊の月の輪をめがけてズドンとやるのだった。すると森までががあっと叫んで熊はどたっと倒れ赤黒い血をどくどく吐き鼻をくんくん鳴らして死んでしまうのだった。小十郎は鉄砲を木へたてかけて注意深くそばへ寄って来て斯う云うのだった。

「熊。おれはてまえを憎くて殺したのではねえんだぞ。おれも商売ならてめえも射たなきゃならねえ。ほかの罪のねえ仕事していんだが畑はなし木はお上のものにきまったし里へ出ても誰も相手にしねえ。仕方なしに猟師なんぞしるんだ。てめえも熊に生まれたが因果ならおれもこんな商売が因果だ。やい。この次には熊なんぞに生まれなよ。」

　そのときは犬もすっかりしょげかえって眼を細くして座っていた。

　何せこの犬ばかりは小十郎が四十の夏うち中みんな赤痢にかかってとうとう小十郎の息子とその妻も死んだ中にぴんぴんして生きていたのだ。

　それから小十郎はふところからとぎすまされた小刀を出して熊の顎のとこから胸から腹へかけ

て皮をすうっと裂いて行くのだった。それからあとの景色は僕は大きらいだ。けれどもとにかくおしまい小十郎がまっ赤な熊の胆をせなかの木のひつに入れて血で毛がぼとぼと房になった毛皮を谷であらってくるくるまるめせなかにしょって自分もぐんなりした風で谷を下って行くことだけはたしかなのだ。

　小十郎はもう熊のことばだってわかるような気がした。ある年の春はやく山の木がまだ一本も青くならないころ小十郎は犬を連れて白沢をずうっとのぼった。夕方になって小十郎はばっかい沢へこえる峯になった処へ去年の夏こさえた笹小屋へ泊まろうと思ってそこへのぼって行った。そしたらどう云う加減か小十郎の柄にもなく登り口をまちがってしまった。

　なんべんも谷へ降りてまた登り直して犬もへとへとにつかれ小十郎も口を横にまげて息をしながら半分くずれかかった去年の小屋を見つけた。小十郎がすぐ下に湧水のあったのを思い出して少し山を降りかけたら愕いたことは母親とやっと一歳になるかならないような子熊と二疋丁度人が額に手をあてて遠くを眺めるといった風に淡い六日の月光の中を向こうの谷をしげしげ見つめているのにあった。小十郎はまるでその二疋の熊のからだから後光が射すように思えてまるで釘付けになったように立ちどまってそっちを見つめていた。すると子熊が甘えるように云ったのだ。

「どうしても雪だよ、おっかさん谷のこっち側だけ白くなっているんだもの。どうしても雪だよ。おっかさん。」

　すると母親の熊はまだしげしげ見つめていたがやっと云った。

「雪でないよ、あすこへだけ降る筈がないんだもの。」

子熊はまた云った。

「だから溶けないで残ったのでしょう。」

「いいえ、おっかさんはあざみの芽を見に昨日あすこを通ったばかりです。」

小十郎もじっとそっちを見た。

月の光が青じろく山の斜面を滑っていた。そこが丁度銀の鎧のように光っているのだった。しばらくたって子熊が云った。

「雪でなきゃ霜だねえ。きっとそうだ。」

ほんとうに今夜は霜が降るぞ、お月さまの近くで胃もあんなに青くふるえているし第一お月さまのいろだってまるで氷のようだ、小十郎がひとりで思った。

「おかあさまはわかったよ、あれねえ、ひきざくらの花。」

「なぁんだ、ひきざくらの花だい。僕知ってるよ。」

「いいえ、お前まだ見たことありません。」

「知ってるよ、僕この前とって来たもの。」

「いいえ　あれひきざくらでありません、お前とって来たのきささげの花でしょう。」

「そうだろうか。」子熊はとぼけたように答えました。小十郎はなぜかもう胸がいっぱいになってもう一ぺん向こうの谷の白い雪のような花と余念なく月光をあびて立っている母子の熊をちらっと見てそれから音をたてないようにこっそりこっそり戻りはじめた。風があっちへ行くな行くなと思いながらそろそろと小十郎は後退りした。くろもじの木の匂いが月のあかりといっしょにすうっとさした。

ところがこの豪儀な小十郎がまちへ熊の皮と胆を売りに行くときのみじめさと云ったら全く気の毒だった。

町の中ほどに大きな荒物屋があって笊だの砂糖だの砥石だの金天狗やカメレオン印の煙草だのそれから硝子の蠅とりまでならべていたのだ。小十郎が山のように毛皮をしょってそこのしきいを一足またぐと店では又来たかというようにうすわらっているのだった。店の次の間に大きな唐金の火鉢を出して主人がどっかり座っていた。

「旦那さん、先ころはどうもありがとうごあんした。」

あの山では主のような小十郎は毛皮の荷物を横におろして叮ねいに敷板に手をついて云うのだった。

「はあ、どうも、今日は何のご用です。」

「熊の皮また少し持って来たます。」

「熊の皮か。この前のもまだあのまましまってあるし今日ぁまんついいます。」

「旦那さん、そう云わなぃでどうか買って呉んなさぃ。安くてもいいます。」

「なんぼ安くても要らなぃます。」主人は落ち着きはらってきせるをたんたんとてのひらへたたくのだ、あの豪気な山の中の主の小十郎は斯う云われるたびにもうまるで心配そうに顔をしかめた。何せ小十郎のとこでは山には栗があったしうしろのまるで少しの畑からは稗がとれるのではあったが米などは少しもできず味噌もなかったから九十になるとしよりと子供ばかりの七人家内にもって行く米はごくわずかずつでも要ったのだ。

　里の方のものなら麻もつくったけれども、小十郎のとこではわずか藤つるで編む入れ物の外に布にするようなものはなんにも出来なかったのだ。小十郎はしばらくたってからまるでしわがれたような声で云ったもんだ。

「旦那さん、お願いだます。どうが何ぼでもいいはんて買って呉なぃ。」小十郎はそう云いながら改めておじぎさえしたもんだ。

　主人はだまってしばらくけむりを吐いてから顔の少しでにかにか笑うのをそっとかくして云ったもんだ。

「いいます。置いでお出れ。じゃ、平助、小十郎さんさ二円あげろじゃ。」

　店の平助が大きな銀貨を四枚小十郎の前へ座って出した。小十郎はそれを押しいただくようにしてにかにかしながら受け取った。それから主人はこんどはだんだん機嫌がよくなる。

「じゃ、おきの、小十郎さんさ一杯あげろ。」

　小十郎はこのころはもううれしくてわくわくしている。主人はゆっくりいろいろ談す。小十郎はかしこまって山のもようや何か申しあげている。間もなく台所の方からお膳できたと知らせる。小十郎は半分辞退するけれども結局台所のとこへ引っぱられてってまた叮寧な挨拶をしている。

　間もなく塩引の鮭の刺身やいかの切り込みなどと酒が一本黒い小さな膳にのって来る。

　小十郎はちゃんとかしこまってそこへ腰掛けていかの切り込みを手の甲にのせてべろりとなめ

たりうやうやしく黄いろな酒を小さな猪口についだりしている。いくら物価の安いときだって熊の毛皮二枚で二円はあんまり安いと誰でも思う。実に安いしあんまり安いことは小十郎でも知っている。けれどもどうして小十郎はそんな町の荒物屋なんかへでなしにほかの人へどしどし売れないか。それはなぜか大ていの人にはわからない。けれども日本では狐けんというものもあって狐は猟師に負け猟師は旦那に負けるときまっている。ここでは熊は小十郎にやられ小十郎が旦那にやられる。旦那は町のみんなの中にいるからなかなか熊に食われない。けれどもこんないやなずるいやつらは世界がだんだん進歩するとひとりで消えてなくなって行く。僕はしばらくの間でもあんな立派な小十郎が二度とつらも見たくないようないやなやつにうまくやられることを書いたのが実にしゃくにさわってたまらない。

こんな風だったから小十郎は熊どもは殺してはいても決してそれを憎んではいなかったのだ。ところがある年の夏こんなようなおかしなことが起こったのだ。

小十郎が谷をばちゃばちゃ渉って一つの岩にのぼったらいきなりすぐ前の木に大きな熊が猫のようにせなかを円くしてよじ登っているのを見た。小十郎はすぐ鉄砲をつきつけた。犬はもう大悦びで木の下に行って木のまわりを烈しく馳せめぐった。

すると樹の上の熊はしばらくの間おりて小十郎に飛びかかろうかそのまま射たれてやろうか思案しているらしかったがいきなり両手を樹からはなしてどたりと落ちて来たのだ。小十郎は油断なく銃を構えて打つばかりにして近寄って行ったら熊は両手をあげて叫んだ。

「おまえは何がほしくておれを殺すんだ。」

「ああ、おれはお前の毛皮と、胆のほかにはなんにもいらない。それも町へ持って行ってひどく高く売れると云うのではないしほんとうに気の毒だけれどもやっぱり仕方ない。けれどもお前に今ごろそんなことを云われるともうおれなどは何か栗かしだのみでも食っていてそれで死ぬならおれも死んでもいいような気がするよ。」

「もう二年ばかり待って呉れ、おれも死ぬのはもうかまわないようなもんだけれども少し残した仕事もあるしただ二年だけ待ってくれ。二年目にはおれもおまえの家の前でちゃんと死んでいてやるから。毛皮も胃袋もやってしまうから。」

小十郎は変な気がしてじっと考えて立ってしまいました。熊はそのひまに足うらを全体地面につけてごくゆっくりと歩き出した。小十郎はやっぱりぼんやり立っていた。熊はもう小十郎がいきなりうしろから鉄砲を射ったり決してしないことがよくわかってるという風でうしろも見ないでゆっくりゆっくり歩いて行った。そしてその広い赤黒いせなかが木の枝の間から落ちた日光にちらっと光ったとき小十郎は、う、うとせつなそうになって谷をわたって帰りはじめた。それから丁度二年目だったがある朝小十郎があんまり風が烈しくて木もかきねも倒れたろうと思って外へ出たらひのきのかきねはいつものようにかわりなくその下のところに始終見たことのある赤黒いものが横になっているのでした。丁度二年目だしあの熊がやって来るかと少し心配するようにしていたときでしたから小十郎はどきっとしてしまいました。そばに寄って見ましたらちゃんとあの熊が口からいっぱいに血を吐いて倒れていた。小十郎は思わず拝むようにした。

一月のある日のことだった。小十郎は朝うちを出るときいままで云ったことのないことを云った。

「婆さま、おれも年老ったでばな、今朝まず生まれで始めで水へ入るの嫌んたよな気するじゃ。」すると縁側の日なたで糸を紡いでいた九十になる小十郎の母はその見えないような眼をあげてちょっと小十郎を見て何か笑うか泣くかするような顔つきをした。小十郎はわらじを結えてうんとこさと立ちあがって出かけた。子供らはかわるがわる厩の前から顔を出して「爺さん、早ぐお出や。」と云って笑った。小十郎はまっ青なつるつるした空を見あげてそれから孫たちの方を向いて「行って来るじゃぃ。」と云った。

小十郎はまっ白な堅雪の上を白沢の方へのぼって行った。

犬はもう息をはあはあし赤い舌を出しながら走ってはとまり走ってはとまりして行った。間もなく小十郎の影は丘の向こうへ沈んで見えなくなってしまい子供らは稗の藁でふじつきをして遊んだ。

小十郎は白沢の岸を溯って行った。水はまっ青に淵になったり硝子板をしいたように凍ったりつららが何本も何本もじゅずのようになってかかったりそして両岸からは赤と黄いろのまゆみの実が花が咲いたようにのぞいたりした。小十郎は自分と犬との影法師がちらちら光り樺の幹の影といっしょに雪にかっきり藍いろの影になってうごくのを見ながら溯って行った。

白沢から峯を一つ越えたとこに一疋の大きなやつが棲んでいたのを夏のうちにたずねて置いたのだ。

小十郎は谷に入って来る小さな支流を五つ越えて何べんも何べんも右から左左から右へ水をわたって溯って行った。そこに小さな滝があった。小十郎はその滝のすぐ下から長根の方へかけてのぼりはじめた。雪はあんまりまばゆくて燃えているくらい小十郎は眼がすっかり紫の眼鏡をかけたような気がして登って行った。犬はやっぱりそんな崖でも負けないという様にたびたび滑りそうになりながら雪にかじりついて登ったのだ。やっと崖を登りきったらそこはまばらに栗の木の生えたごくゆるい斜面の平らで雪はまるで寒水石という風にギラギラ光っていたしまわりをずうっと高い雪のみねがにょきにょきつったっていた。小十郎がその頂上でやすんでいたときだ。いきなり犬が火のついたように咆え出した。小十郎がびっくりしてうしろを見たらあの夏に眼をつけて置いた大きな熊が両足で立ってこっちへかかって来たのだ。

小十郎は落ちついて足をふんばって鉄砲を構えた。熊は棒のような両手をびっこにあげてまっすぐに走って来た。さすがの小十郎もちょっと顔いろを変えた。

ぴしゃというように鉄砲の音が小十郎に聞こえた。ところが熊は少しも倒れないで嵐のように黒くゆらいでやって来たようだった。犬がその足もとに噛み付いた。と思うと小十郎はがあんと頭が鳴ってまわりがいちめんまっ青になった。それから遠くで斯う云うことばを聞いた。

「おお小十郎おまえを殺すつもりはなかった。」

もうおれは死んだと小十郎は思った。そしてちらちらちらちら青い星のような光がそこらいちめんに見えた。
「これが死んだしるしだ。死ぬとき見る火だ。熊ども、ゆるせよ。」と小十郎は思った。それからあとの小十郎の心持はもう私にはわからない。

とにかくそれから三日目の晩だった。まるで氷の玉のような月がそらにかかっていた。雪は青白く明るく水は燐光をあげた。すばるや参の星が緑や橙にちらちらして呼吸をするように見えた。

その栗の木と白い雪の峯々にかこまれた山の上の平らに黒い大きなものがたくさん環になって集まって各々黒い影を置き回々教徒の祈るときのようにじっと雪にひれふしたままいつまでもいつまでも動かなかった。そしてその雪と月のあかりで見るといちばん高いところに小十郎の死骸が半分座ったようになって置かれていた。

思いなしかその死んで凍えてしまった小十郎の顔はまるで生きてるときのように冴え冴えして何か笑っているようにさえ見えたのだ。ほんとうにそれらの大きな黒いものは参の星が天のまん中に来てももっと西へ傾いてもじっと化石したようにうごかなかった。

寓話　洞熊学校を卒業した三人

――ぐうわ　ほらくまがっこうをそつぎょうしたさんにん――

*

赤い手の長い蜘蛛と、銀いろのなめくじと、顔を洗ったことのない狸が、いっしょに洞熊学校にはいりました。洞熊先生の教えることは三つでした。

一年生のときは、うさぎと亀のかけくらのことで、も一つは大きいものがいちばん立派だということでした。それから三人はみんな一番になろうと一生けん命競争しました。一年生のときは、なめくじと狸がしじゅう遅刻して罰を食ったために蜘蛛が一番になった。なめくじと狸とは泣いて口惜しがった。二年生のときは、洞熊先生が点数の勘定を間違ったために、なめくじが一番になり蜘蛛と狸とは歯ぎしりしてくやしがった。三年生の試験のときは、あんまりあたりが明るいために洞熊先生が涙をこぼして眼をつぶってばかりいたものですから、狸は本を見て書きました。そして狸が一番になりました。そこで赤い手長の蜘蛛と、銀いろのなめくじと、それから顔を洗ったことのない狸が、一しょに洞熊学校を卒業しました。三人は上べは大へん仲よそうに、洞熊先生を呼んで謝恩会ということをしたりこんどはじぶんらの離別会ということをやったりしましたけれども、お互いにみな腹のなかでは、へん、あいつらに何ができるもんか、これから誰がいちばん大きくえらくなるか見ていろと、そのことばかり考えておりました。さて会も済んで三人はめいめいじぶんのうちに帰っていよいよ習ったことをじぶんでほんとうにやることになりました。洞熊先生の方もこんどはどぶ鼠をつかまえて学校に入れようと毎日追いかけて居りました。

ちょうどそのときはかたくりの花の咲くころで、たくさんのたくさんの眼の碧い蜂の仲間が、日光のなかをぶんぶんぶんぶん飛び交いながら、一つ一つの小さな桃いろの花に挨拶して蜜や香料を貰ったり、そのお礼に黄金いろをした円い花粉をほかの花のところへ運んでやったり、あるいは新しい木の芽からいらなくなった蠟を集めて六角形の巣を築いたりもういそがしくにぎやかな春の入口になっていました。

一、蜘蛛はどうしたか。

蜘蛛は会の済んだ晩方じぶんのうちの森の入口の楢の木に帰って来ました。

ところが蜘蛛はもう洞熊学校でお金をみんなつかっていましたからもうなにひとつもっていませんでした。そこでひもじいのを我慢して、ぼんやりしたお月様の光で網をかけはじめた。

あんまりひもじくてからだの中にはもう糸もない位であった。けれども蜘蛛は
「いまに見ろ　いまに見ろ」と云いながら、一生けん命糸をたぐり出して、やっと小さな二銭銅貨位の網をかけた。そして枝のかげにかくれてひとばん眼をひからして網をのぞいていた。

夜あけごろ、遠くから小さなこどものあぶがくうんとうなってやって来て網につきあたった。

けれどもあんまりひもじいときかけた網なので、糸に少しもねばりがなくて、子どものあぶはすぐ糸を切って飛んで行こうとした。

蜘蛛はまるできちがいのように、枝のかげから駆け出してむんずとあぶに食いついた。

あぶの子どもは「ごめんなさい。ごめんなさい。ごめんなさい。」と哀れな声で泣いたけれども、蜘蛛は物も云わずに頭から羽からあしまで、みんな食ってしまった。そしてほっと息をついてしばらくそらを向いて腹をこすってから、又少し糸をはいた。そして網が一まわり大きくなった。

蜘蛛はまた枝のかげに戻って、六つの眼をギラギラ光らせながらじっと網をみつめて居た。

「ここはどこでござりまするな。」と云いながらめくらのかげろうが杖をついてやって来た。

「ここは宿屋ですよ。」と蜘蛛が六つの眼をパチパチさせて云った。

かげろうはやれやれというように、巣へ腰をかけました。蜘蛛は走って出ました。そして「さあ、お茶をおあがりなさい。」と云いながらいきなりかげろうの胴中に噛みつきました。

かげろうはお茶をとろうとして出した手を空にあげて、バタバタもがきながら、

「あわれやむすめ、父親が、
旅で果てたと聞いたなら」と哀れな声で歌い出しました。

「えい。やかましい。じたばたするな。」と蜘蛛が云いました。するとかげろうは手を合わせて
「お慈悲でございます。遺言のあいだ、ほんのしばらくお待ちなされて下されませ。」とねがいました。

蜘蛛もすこし哀れになって
「よし早くやれ。」といってかげろうの足をつかんで待っていました。かげろうはほんとうにあわれな細い声ではじめから歌い直しました。
「あわれやむすめちちおやが、
旅ではてたと聞いたなら、
ちさいあの手に白手甲、
いとし巡礼の雨とかぜ。
もうしご冥加ご報謝と、
かどなみなみに立つとても、
非道の蜘蛛の網ざしき、
さわるまいぞや。よるまいぞ。」
「小しゃくなことを。」と蜘蛛はただ一息に、かげろうを食い殺してしまいました。そしてしばらくそらを向いて、腹をこすってからちょっと眼をぱちぱちさせて
「小しゃくなことを言うまいぞ。」とふざけたように歌いながら又糸をはきました。
網は三まわり大きくなって、もう立派なこうもりがさのような巣だ。蜘蛛はすっかり安心して、又葉のかげにかくれました。その時下の方でいい声で歌うのをききました。
「赤いてながのくぅも、
天のちかくをはいまわり、

スルスル光のいとをはき、
きぃらりきぃらり巣をかける。」
見るとそれはきれいな女の蜘蛛でした。
「ここへおいで」と手長の蜘蛛が云って糸を一本すうっとさげてやりました。
女の蜘蛛がすぐそれにつかまってのぼって来ました。そして二人は夫婦になりました。網には毎日沢山食べるものがかかりましたのでおかみさんの蜘蛛は、それを沢山たべてみんな子供にしてしまいました。そこで子供が沢山生まれました。所がその子供らはあんまり小さくてまるですきとおる位です。
子供らは網の上ですべったり、相撲をとったり、ぶらんこをやったり、それはそれはにぎやかです。おまけにある日とんぼが来て今度蜘蛛を虫けら会の副会長にするというみんなの決議をつたえました。
ある日夫婦のくもは、葉のかげにかくれてお茶をのんでいますと、下の方でへらへらした声で歌うものがあります。
「あぁかい手ながのくぅも、
できたむすこは二百疋、
めくそ、はんかけ、蚊のなみだ、
大きいところで稗のつぶ。」
見るとそれはいつのまにかずっと大きくなったあの銀色のなめくじでした。

蜘蛛のおかみさんはくやしがって、まるで火がついたように泣きました。

けれども手長の蜘蛛は云いました。

「ふん。あいつはちかごろ、おれをねたんでるんだ。やい、なめくじ。おれは今度は虫けら会の副会長になるんだぞ。へっ。くやしいか。へっ。てまえなんかいくらからだばかりふとっても、こんなことはできまい。へっへっ。」

なめくじはあんまりくやしくて、しばらく熱病になって、

「うう、くもめ、よくもぶじょくしたな。うう。くもめ。」といっていました。

網は時々風にやぶれたりごろつきのかぶとむしにこわされたりしましたけれどもくもはすぐすうすう糸をはいて修繕しました。

二百疋の子供は百九十八疋まで蟻に連れて行かれたり、行衛不明になったり、赤痢にかかったりして死んでしまいました。

けれども子供らは、どれもあんまりお互いに似ていましたので、親ぐもはすぐ忘れてしまいました。

そして今はもう網はすばらしいものです。虫がどんどんひっかかります。

ある日夫婦の蜘蛛は、葉のかげにかくれてまた茶をのんでいますと、一匹の旅の蚊がこっちへ飛んで来て、それから網を見てあわてて飛び戻って行った。くもは三あしばかりそっちへ出て行ってあきれたようにそっちを見送った。

すると下の方で大きな笑い声がしてそれから太い声で歌うのが聞こえました。

「あぁかいてながのくうも、
てながの赤いくも
あんまり網がまずいので、
八千二百里旅の蚊も、
くうんとうなってまわれ右。」

見るとそれは顔を洗ったことのない狸でした。蜘蛛はキリキリキリッとはがみをして云いました。

「何を。狸め。おれはいまに虫けら会の会長になってきっときさまにおじぎをさせて見せるぞ。」

それからは蜘蛛は、もう一生けん命であちこちに十も網をかけたり、夜も見はりをしたりしました。ところが諸君困ったことには腐敗したのだ。食物があんまりたまって、腐敗したのです。そして蜘蛛の夫婦と子供にそれがうつりました。そこで四人は足のさきからだんだん腐れてべとべとになり、ある日とうとう雨に流れてしまいました。

ちょうどそのときはつめくさの花のさくころで、あの眼の碧い蜂の群は野原じゅうをもうあちこちにちらばって一つ一つの小さなぼんぼりのような花から火でももらうようにして蜜を集めて居りました。

二、銀色のなめくじはどうしたか。

丁度蜘蛛が林の入口の楢の木に、二銭銅貨の位の網をかけた頃、銀色のなめくじの立派なうちへかたつむりがやって参りました。

その頃なめくじは学校も出たし人がよくて親切だというもう林中の評判だった。かたつむりは
「なめくじさん。今度は私もすっかり困ってしまいましたよ。まだわたしの食べるものはなし、水はなし、すこしばかりお前さんのうちにためてあるふきのつゆを呉れませんか。」と云いました。

するとなめくじが云いました。

「あげますともあげますとも、さあ、おあがりなさい。」

「ああありがとうございます。助かります。」と云いながらかたつむりはふきのつゆをどくどくのみました。

「もっとおあがりなさい。あなたと私とは云わば兄弟。ハッハハ。さあ、さあ、も少しおあがりなさい。」となめくじが云いました。

「そんならも少しいただきます。ああありがとうございます。」と云いながらかたつむりはも少しのみました。

「かたつむりさん。気分がよくなったら一つひさしぶりで相撲をとりましょうか。ハッハハ。久

しぶりです。」となめくじが云いました。

「おなかがすいて力がありません。」とかたつむりが云いました。

「そんならたべ物をあげましょう。さあ、おあがりなさい。」となめくじはあざみの芽やなんか出しました。

「ありがとうございます。それではいただきます。」といいながらかたつむりはそれを喰べました。

「さあ、すもうをとりましょう。ハッハハ。」となめくじがもう立ちあがりました。かたつむりも仕方なく、

「私はどうも弱いのですから強く投げないで下さい。」と云いながら立ちあがりました。

「よっしょ。そら。ハッハハ。」かたつむりはひどく投げつけられました。

「もう一ぺんやりましょう。ハッハハ」

「もうつかれてだめです。」

「まあもう一ぺんやりましょうよ。ハッハハ。よっしょ。そら。ハッハハ。」かたつむりはひどく投げつけられました。

「もう一ぺんやりましょう。ハッハハ。」

「もうだめです。」

「まあもう一ぺんやりましょうよ。ハッハハ。よっしょ、そら。ハッハハ。」かたつむりはひどく投げつけられました。

「もう一ぺんやりましょう。ハッハハ。」

「もうだめ。」

「まあもう一ぺんやりましょうよ。ハッハハ。よっしょ。そら。ハッハハ。」かたつむりはひどく投げつけられました。

「もう一ぺんやりましょう。ハッハハ。」

「もう死にます。さよなら。」

「まあもう一ぺんやりましょうよ。ハッハハ。さあ。お立ちなさい。起こしてあげましょう。よっしょ。そら。ヘッヘッヘ。」かたつむりは死んでしまいました。そこで銀色のなめくじはかたつむりを殻ごとみしみし喰べてしまいました。

それから一ヶ月ばかりたって、とかげがなめくじの立派なおうちへびっこをひいて来ました。そして

「なめくじさん。今日は。お薬をすこし呉れませんか。」と云いました。

「どうしたのです。」となめくじは笑って聞きました。

「へびに噛まれたのです。」ととかげが云いました。

「そんならわけはありません。私が一寸そこを嘗めてあげましょう。わたしが嘗めれば蛇の毒はすぐ消えます。なにせ蛇さえ溶けるくらいですからな。ハッハハ。」となめくじは笑って云いました。

「どうかお願い申します」ととかげは足を出しました。

「ええ。よござんすとも。私とあなたとは云わば兄弟。あなたと蛇も兄弟ですね。ハッハハ。」となめくじは云いました。

　そしてなめくじはとかげの傷に口をあてました。

「ありがとう。なめくじさん。」ととかげは云いました。

「も少しよく嘗めないとあとで大変ですよ。今度又来てももう直してあげませんよ。ハッハハ。」となめくじはもがもが返事をしながらやはりとかげを嘗めつづけました。

「なめくじさん。何だか足が溶けたようですよ。」ととかげはおどろいて云いました。

「ハッハハ。なあに。それほどじゃありません。ハッハハ。」となめくじはやはりもがもが答えました。

「なめくじさん。おなかが何だか熱くなりましたよ。」ととかげは心配して云いました。

「ハッハハ。なあにそれほどじゃありません。ハッハハ。」となめくじはやはりもがもが答えました。

「なめくじさん。からだが半分とけたようですよ。もうよして下さい。」ととかげは泣き声を出しました。

「ハッハハ。なあにそれほどじゃありません。ほんのも少しです。ハッハハ。」となめくじが云いました。

　それを聞いたとき、とかげはやっと安心しました。安心したわけはそのとき丁度心臓がとけたのです。

そこでなめくじはペロリととかげをたべました。そして途方もなく大きくなりました。

あんまり大きくなったので嬉しまぎれについあの蜘蛛をからかったのでした。

そしてかえって蜘蛛からあざけられて、熱病を起こして、毎日毎日、ようし、おれも大きくなるくらい大きくなったらこんどはきっと虫けら院の名誉議員になってくもが何か云ったときふうと息だけついて返事してやろうと云っていた。ところがこのころからなめくじの評判はどうもよくなくなりました。

なめくじはいつでもハッハハと笑って、そしてヘラヘラした声で物を言うけれども、どうも心がよくなくて蜘蛛やなんかよりは却って悪いやつだというのでみんなが軽べつをはじめました。殊に狸はなめくじの話が出るといつでもヘンと笑って云いました。

「なめくじのやりくちなんてまずいもんさ。ぶま加減は見られたもんじゃない。あんなやりかたで大きくなってもしれたもんだ。」

なめくじはこれを聞いていよいよ怒って早く名誉議員になろうとあせっていた。そのうちに蜘蛛が腐敗して溶けて雨に流れてしまいましたので、なめくじも少しせいせいしながら誰か早く来るといいと思ってせっかく待っていた。

するとある日雨蛙がやって参りました。

そして、

「なめくじさん。こんにちは。少し水を呑ませませんか。」と云いました。

なめくじはこの雨蛙もペロリとやりたかったので、思い切っていい声で申しました。

「蛙さん。これはいらっしゃい。水なんかいくらでもあげますよ。ちかごろはひでりですけれどもなあに云わばあなたと私は兄弟。ハッハハ。」そして水がめの所へ連れて行きました。

蛙はどくどくどくどく水を呑んでからとぼけたような顔をしてしばらくなめくじを見てから云いました。

「なめくじさん。ひとつすもうをとりましょうか。」なめくじはうまいと、よろこびました。自分が云おうと思っていたのを蛙の方が云ったのです。こんな弱ったやつならば五へん投げつければ大ていペロリとやれる。

「とりましょう。よっしょ。そら。ハッハハ。」かえるはひどく投げつけられました。

「もう一ぺんやりましょう。ハッハハ。よっしょ。そら。ハッハハ。」かえるは又投げつけられました。するとかえるは大へんあわててふところから塩のふくろを出して云いました。

「土俵へ塩をまかなくちゃだめだ。そら。シュウ。」塩が白くそこらへちらばった。

なめくじが云いました。

「かえるさん。こんどはきっと私なんかまけますね。あなたは強いんだもの。ハッハハ。よっしょ。そら。ハッハハ。」蛙はひどく投げつけられました。

そして手足をひろげて青じろい腹を空に向けて死んだようになってしまいました。銀色のなめくじは、すぐペロリとやろうと、そっちへ進みましたがどうしたのか足がうごきません。見るともう足が半分とけています。

「あ、やられた。塩だ。畜生。」となめくじが云いました。

蛙はそれを聞くと、むっくり起きあがってあぐらをかいて、かばんのような大きな口を一ぱいにあけて笑いました。そしてなめくじにおじぎをして云いました。

「いや、さよなら。なめくじさん。とんだことになりましたね。」

なめくじが泣きそうになって、

「蛙さん。さよ……。」と云ったときもう舌がとけました。雨蛙はひどく笑いながら
「さよならと云いたかったのでしょう。本当にさよならさよなら。わたしもうちへ帰ってからたくさん泣いてあげますから。」と云いながら一目散に帰って行った。

そうそうこのときは丁度秋に蒔いた蕎麦の花がいちめん白く咲き出したときであの眼の碧いすがるの群はその四っ角な畑いっぱいうすあかい幹の間をくぐったり花のついたちいさな枝をぶらんこのようにゆすぶったりしながら今年の終わりの蜜をせっせと集めて居りました。

三、顔を洗わない狸。

狸はわざと顔を洗わなかったのだ。丁度蜘蛛が林の入口の楢の木に、二銭銅貨位の巣をかけた時、じぶんのうちのお寺へ帰っていたけれども、やっぱりすっかりお腹が空いて一本の松の木によりかかって目をつぶっていました。すると兎がやって参りました。

「狸さま。こうひもじくては全く仕方ございません。もう死ぬだけでございます。」

狸がきもののえりを掻き合わせて云いました。

「そうじゃ。みんな往生じゃ。山猫大明神さまのおぼしめしどおりじゃ。な。なまねこ。なまねこ。」

兎も一緒に念猫をとなえはじめました。

「なまねこ、なまねこ、なまねこ、なまねこ。」

狸は兎の手をとってもっと自分の方へ引きよせました。

「なまねこ、なまねこ、みんな山猫さまのおぼしめしどおりになるのじゃ。なまねこ。なまねこ。」と云いながら兎の耳をかじりました。兎はびっくりして叫びました。

「あ痛っ。狸さん。ひどいじゃありませんか。」

狸はむにゃむにゃ兎の耳をかみながら、

「なまねこ、なまねこ、世の中のことはな、みんな山猫さまのおぼしめしのとおりじゃ。おまえの耳があんまり大きいのでそれをわしに噛って直せというのは何というありがたいことじゃ。なまねこ。」と云いながら、とうとう兎の両方の耳をたべてしまいました。

兎もそうきいていると、たいへんうれしくてボロボロ涙をこぼして云いました。

「なまねこ、なまねこ。ああありがたい、山猫さま。私のようなつまらないものを耳のことまでご心配くださいますとはありがたいことでございます。助かりますなら耳の二つやそこらなんでもございませぬ。なまねこ。」

狸もそら涙をボロボロこぼして

「なまねこ、なまねこ、こんどは兎の脚をかじれとはあんまりはねるためでございましょうか。

はいはい、かじりますかじりますなまねこなまねこ。」と云いながら兎のあとあしをむにゃむにゃ食べました。

兎はますますよろこんで、

「ああありがたや、山猫さま。おかげでわたくしは脚がなくなってもう歩かなくてもよくなりました。ああありがたいなまねこなまねこ。」

狸はもうなみだで身体もふやけそうに泣いたふりをしました。

「なまねこ、なまねこ。みんなおぼしめしのとおりでございます。わたしのようなあさましいものでも、命をつないでお役にたてと仰しゃられますか。はい、はい、これも仕方はございませぬ、なまねこなまねこ。おぼしめしのとおりにいたしまする。むにゃむにゃ。」

兎はすっかりなくなってしまいました。

そして狸のおなかの中で云いました。

「すっかりだまされた。お前の腹の中はまっくろだ。ああくやしい。」

狸は怒って云いました。

「やかましい。はやく溶けてしまえ。」

兎はまた叫びました。

「みんな狸にだまされるなよ。」

狸は眼をぎろぎろして外へ聞こえないようにしばらくの間口をしっかり閉じてそれから手で鼻をふさいでいました。

それから丁度二ヶ月たちました。ある日、狸は自分の家で、例のとおりありがたいごきとうをしていますと、狼が籾を三升さげて来て、どうかお説教をねがいますと云いました。

そこで狸は云いました。

「お前はものの命をとったことは、五百や千では利くまいな。生きとし生けるものならばなにとて死にたいものがあろう。な。それをおまえは食ったのじゃ。な。早くざんげさっしゃれ。でないとあとでえらい責苦にあうことじゃぞよ。おお恐ろしや。なまねこ。なまねこ。」

狼はすっかりおびえあがって、しばらくきょろきょろしながらたずねました。

「そんならどうしたらいいでしょう。」

狸が云いました。

「わしは山ねこさまのお身代わりじゃで、わしの云うとおりさっしゃれ。なまねこ。なまねこ。」

「どうしたらようございましょう。」と狼があわててききました。狸が云いました。

「それはな。じっとしていさしゃれ。な。わしはお前のきばをぬくじゃ。このきばでいかほどものの命をとったか。恐ろしいことじゃ。な。お前の目をつぶすじゃ。な。この目で何ほどのものをにらみ殺したか、恐ろしいことじゃ。それから。なまねこ、なまねこ、なまねこ。お前のみみを一寸かじるじゃ。これは罰じゃ。なまねこ。なまねこ。こらえなされ。お前のあたまをかじるじゃ。むにゃ、むにゃ。なまねこ。この世の中は堪忍が大事じゃ。なま……。むにゃむにゃ。お前のあしをたべるじゃ。なかなかうまい。なまねこ。むにゃ。むにゃ。おまえのせなかを食うじゃ。ここもうまい。むにゃむにゃむにゃ。」

とうとう狼はみんな食われてしまいました。

そして狸のはらの中で云いました。

「ここはまっくらだ。ああ、ここに兎の骨がある。誰が殺したろう。殺したやつはあとで狸に説教されながらかじられるだろうぜ。」

狸はやかましいやかましい蓋をしてやろう。と云いながら狼の持って来た籾を三升風呂敷のまま呑みました。

ところが狸は次の日からどうもからだの工合がわるくなった。どういうわけか非常に腹が痛くて、のどのところへちくちく刺さるものがある。

はじめは水を呑んだりしてごまかしていたけれども一日一日それが烈しくなってきてもう居ても立ってもいられなくなった。

とうとう狼をたべてから二十五日めに狸はからだがゴム風船のようにふくらんでそれからボローンと鳴って裂けてしまった。

林中のけだものはびっくりして集まって来た。見ると狸のからだの中は稲の葉でいっぱいでした。あの狼の下げて来た籾が芽を出してだんだん大きくなったのだ。

洞熊先生も少し遅れて来て見ました。そしてああ三人とも賢いいこどもらだったのにじつに残念なことをしたと云いながら大きなあくびをしました。

このときはもう冬のはじまりであの眼の碧い蜂の群はもうみんなめいめいの蠟でこさえた六角形の巣にはいって次の春の夢を見ながらしずかに睡って居りました。

畑のへり

はたけのへり

麻が刈られましたので、畑のへりに一列に植えられていたとうもろこしは、大へん立派に目立ってきました。

小さな虻だのべっ甲いろのすきとおった羽虫だのみんなかわるがわる来て挨拶して行くのでした。

とうもろこしには、もう頂上にひらひらした穂が立ち、大きな縮れた葉のつけねには尖った青いさやができていました。

そして風にざわざわ鳴りました。

一疋の蛙が刈った畑の向こうまで跳んで来て、いきなり、このとうもろこしの列を見て、びっくりして云いました。

「おや、へんな動物が立っているぞ。からだは瘠せてひょろひょろだが、ちゃんと列を組んでいる。ことによるとこれはカマジン国の兵隊だぞ。どれ、よく見てやろう。」

そこで蛙は上等の遠めがねを出して眼にあてました。そして大きくなったとうもろこしのかたちをちらっと見るや蛙はぎゃあと叫んで遠めがねも何もほうり出して一目散に遁げだしました。

蛙がちょうど五百ばかりはねたとき、もう一ぴきの蛙がびっくりしてこっちを見ているのに会いました。

「おおい、どうしたい。いったい誰ににらまれたんだ。」

「どうしてどうして、全くもう大変だ。カマジン国の兵隊がとうとうやって来た。みんな二ひきか三びきぐらい幽霊をわきにかかえてる。その幽霊は歯が七十枚あるぞ。あの幽霊にかじられたら、もうとてもたまらんぜ。かあいそうに、麻はもうみんな食われてしまった。みんなまっすぐな、いい若い者だったのになあ。ばりばり骨まで噛じられたとは本当に人ごととも思われんなあ。」

「何かい、兵隊が幽霊をつれて来たのかい、そんなにこわい幽霊かい。」

「どうしてどうしてまあ見るがいい。どの幽霊も青白い髪の毛がばしゃばしゃで歯が七十枚おまけに足から頭の方へ青いマントを六枚も着ている」

「いまどこにいるんだ。」

「おまえのめがねで見るがいいあすこだよ。麻ばたけの向こう側さ。おれは眼鏡も何もすてて来たよ。」

あたらしい蛙は遠めがねを出して見ました。

「何だあれは幽霊でも何でもないぜ。あれはとうもろこしというやつだ。おれは去年から知ってるよ。そんなに人が悪くない。わきに居るのは幽霊でない。みんな立派な娘さんだよ。娘さんたちはみんな緑色のマントを着てるよ。」

「緑色のマントは着ているさ。しかしあんなマントの着様が一体あるもんかな。足から頭の方へ逆に着ているんだ。それにマントを六枚も重ねて着るなんて、聞いた事も見た事もない贅沢だ。おごりの頂上だ。」

「ははあ、しかし世の中はさまざまだぜ。たとえば兎なんと云うものは耳が天までとどいている。そのさきは細くなって見えないくらいだ。豚なんというものは鼻がらっぱになっている。口の中にはとんぼのようなすきとおった羽が十枚あるよ。また人というものを知っているかね。人というものは頭の上の方に十六本の手がついている。そんなこともあるんだ。それにとうもろこしの娘さんたちの長いつやつやした髪の毛は評判なもんだ。」

「よして呉れよ。七十枚の白い歯からつやつやした長い髪の毛がすぐ生えているなんて考えても胸が悪くなる。」

「そんなことはない。まあもっとそばまで行って見よう。おや。誰か行ったぞ。おいおい。あれがたったいま云ったひとだ。ひとだ。あいつはほんとうにこわいもんだ。何をするかここへかくれて見ていよう。そら、ちょっと遠めがねを貸すから。」

「ああ、よく見える。何だ手が十六本あるって。おれには五本ばかりしか見えないよ。あっ。あの幽霊をつかまえてるよ。」

「どれ貸してごらん、ああ、とってるとってる。みんながりがりとってるねえ。とうもろこしは恐がってみんな葉をざあざあうごかしているよ。娘さんたちは髪の毛をふって泣いている。ぼくならちゃんと十六本の手が見えるねえ。」

「どら、貸した。なるほど十六本かねえ　四本は大へん小さいなあ。ああとからまた一人来た。あれは女の子だろうねえ。」

「どう、ちょっと、そうだよ。あれは女の子だよ。ほういまねえあの女の子がとうもろこしの娘さんの髪の毛をむしってねえ口へ入れてそらへ吹いたよ。するとそれがぱっと青白い火になって燃えあがったよ。」

「こっちへ来るとこわいなあ、」

「来ないよ。ああ、もう行ってしまったよ。何か叫んでいるようだねえ。」

「歌ってるんだ。けれどもぼくたちよりはへただねえ。」

「へただ、ぼく少しうたってきかしてやろうかな。ぼくうたったらきっとびっくりしてこっちを向くねえ。」

「うたってごらん。こっちへ来たらその葉のかげにかくれよう。」

「いいかい、うたうよ。ぎゅっくぎゅっく。」

「向かないよ。も少し高くうたってごらん。」

「どうもつかれて声が出ないよ。ぎゅっく。もうよそう。」

「よすかねえ。行ってしまった残念だなあ。」

「ぼくは遠めがねをとってくる。じゃさよなら。」

「さよなら。」

二ひきの蛙は別れました。

とうもろこしはさやをなくして大変さびしくなりましたがやっぱり穂(ほ)をひらひら空にうごかしていました。

月夜のけだもの

つきよのけだもの

十日の月が西の煉瓦塀にかくれるまで、もう一時間しかありませんでした。

その青じろい月の明りを浴びて、獅子は檻のなかをのそのそあるいて居りましたがほかのけだものどもは、頭をまげて前あしにのせたり、横にごろっとねころんだりしずかに睡っていました。夜中まで檻の中をうろうろうろうろしていた狐さえ、おかしな顔をしてねむっているようでした。

わたくしは獅子の檻のところに戻って来て前のベンチにこしかけました。

するとそこらがぼうっとけむりのようになってわたくしもそのけむりだか月のあかりだかわからなくなってしまいました。

いつのまにか獅子が立派な黒いフロックコートを着て、肩を張って立って

「もうよかろうな。」と云いました。

すると奥さんの獅子が太い金頭のステッキを恭しく渡しました。獅子はだまって受けとって脇にはさんでのそりのそりとこんどは自分が見まわりに出ました。そこらは水のころころ流れる夜の野原です。

ひのき林のへりで獅子は立ちどまりました。向こうから白いものが大へん急いでこっちへ走っ

て来るのです。

獅子はめがねを直してきっとそれを見なおしました。それは白熊でした。非常にあわててやって来ます。獅子が頭を一つ振って道にステッキをつき出して云いました。

「どうしたのだ。ひどく急いでいるではないか。」

白熊がびっくりして立ちどまりました。その月に向いた方のからだはぼうっと燐のように黄いろにまた青じろくひかりました。

「はい。大王さまでございますか。結構なお晩でございます。」

「どこへ行くのだ。」

「少し尋ねる者がございまして。」

「誰だ。」

「向こうの名前をつい忘れまして、」

「どんなやつだ。」

「灰色のざらざらした者ではございますが、眼は小さくていつも笑っているよう。頭には聖人のような立派な瘤が三つございます。」

「ははあ、その代わり少しからだが大き過ぎるのだろう。」

「はい。しかしごくおとなしゅうございます。」

「所がそいつの鼻ときたらひどいもんだ。全体何の罰であんなに延びたんだろう。おまけにさきをくるっと曲げると、まるでおれのステッキの柄のようになる。」

「はい。それは全く仰せの通りでございます。耳や足さきなんかはがさがさして少し汚のうございます。」

「そうだ。汚いとも。耳はボロボロの麻のはんけち或いは焼いたするめのようだ。足さきなどはことに見られたものでない。まるで乾いた牛の糞だ。」

「いや、そう仰っしゃってはあんまりでございます。それでお名前を何と云われましたでございましょうか。」

「象だ。」

「いまはどちらにおいででございましょうか。」

「俺は象の弟子でもなければ貴様の小使いでもないぞ。」

「はい。失礼をいたしました。それではこれでご免を蒙ります。」

「行け行け。」白熊は頭を掻きながら一生懸命向こうへ走って行きました。象はいまごろどこかで赤い蛇の目の傘をひろげている筈だがとわたくしは思いました。

ところが獅子は白熊のあとをじっと見送って呟やきました。

「白熊め、象の弟子になろうというんだな。頭の上の方がひらたくていい弟子になるだろうよ。」

そして又のそのそと歩き出しました。

月の青いけむりのなかに樹のかげがたくさん棒のようになって落ちました。

そのまっくろな林のなかから狐が赤縞の運動ズボンをはいて飛び出して来ていきなり獅子の前をかけぬけようとしました。獅子は叫びました。

「待て。」

狐は電気をかけられたようにブルルッとふるえてからだ中から赤や青の火花をそこら中へぱちぱち散らしてはげしく五六遍まわってとまりました。なぜか口が横の方に引きつっていて意地悪そうに見えます。

獅子が落ちついてうで組みをして云いました。

「きさまはまだ悪いことをやめないな。この前首すじの毛をみんな抜かれたのをもう忘れたのか。」

狐がガタガタ顫えながら云いました。

「だ、大王様。わ、わたくしは、い、今はもうしょう、正直でございます。」歯がカチカチ云うたびに青い火花はそこらへちらばりました。

「火花を出すな。銅臭くていかん。こら。偽をつくなよ。今どこへ行くつもりだったのだ。」

狐は少し落ちつきました。

「マラソンの練習でございます。」

「ほんとうだろうな。鶏を盗みに行く所ではなかろうな。」

「いえ。たしかにマラソンの方でございます。」

獅子は叫びました。

「それは偽だ。それに第一おまえらにマラソンなどは要らん。そんなことをしているからいつまでも立派にならんのだ。いま何を仕事にしている。」

「百姓でございます。それからマラソンの方と両方でございます。」

「偽だ。百姓なら何を作っている。」

「粟と稗、粟と稗でございます。それから大豆でございます。それからキャベジでございます。」

「お前は粟を食べるのか。」

「それはたべません」

「何にするのだ。」

「鶏にやります。」

「鶏が粟をほしいと云うのか。」

「それはよくそう申します。」

「偽だ。お前は偽ばっかり云っている。おれの方にはあちこちからたくさん訴えが来ている。今日はお前のせなかの毛をみんなむしらせるからそう思え。」

狐はすっかりしょげて首を垂れてしまいました。

「これで改心しなければこの次は一ぺんに引き裂いてしまうぞ。ガアッ。」

獅子は大きく口を開いて一つどなりました。

狐はすっかりきもがつぶれてしまってただ呆れたように獅子の咽喉の鈴の桃いろに光るのを見ています。

その時林のへりの藪がカサカサ云いました。獅子がむっと口を閉じてまた云いました。

「誰だ。そこに居るのは。ここへ出て来い。」

藪の中はしんとしてしまいました。

獅子はしばらく鼻をひくひくさせて又云いました。

「狸、狸。こら。かくれてもだめだぞ。出ろ。陰険なやつだ。」

狸が藪からこそこそ這い出して黙って獅子の前に立ちました。

「こら狸。お前は立ち聴きをしていたな。」

狸は目をこすって答えました。

「そうかな。」そこで獅子は怒ってしまいました。

「そうかなだって。ずるめ、貴様はいつでもそうだ。はりつけにするぞ。はりつけにしてしまうぞ。」

　狸はやはり目をこすりながら
「そうかな。」と云っています。狐はきょろきょろその顔を盗み見ました。獅子も少し呆れて云いました。

「殺されてもいいのか。呑気なやつだ。お前は今立ち聴きしていたろう。」

「いいや、おらは寝ていた。」

「寝ていたって。最初から寝ていたのか。」

「寝ていた。そして俄かに耳もとでガァッと云う声がするからびっくりして眼を醒ましたのだ。」

「ああそうか。よく判った。お前は無罪だ。あとでご馳走に呼んでやろう。」

狐が口を出しました。

「大王。こいつは偽つきです。立ち聴きをしていたのです。寝ていたなんてうそです。ご馳走なんてとんでもありません。」

狸がやっきとなって腹鼓を叩いて狐を責めました。

「何だい。人を中傷するのか。お前はいつでもそうだ。」

すると狐もいよいよ本気です。

「中傷というのはな。ありもしないことで人を悪く云うことだ。お前が立ち聴きをしていたのだからそのとおり正直にいうのは中傷ではない。裁判というもんだ。」

獅子が一寸ステッキをつき出して云いました。

「こら、裁判というのはいかん。裁判というのはもっとえらい人がするのだ。」

狐が云いました。

「間違いました。裁判ではありません。評判です。」

獅子がまるであからんだ栗のいがの様な顔をして笑いころげました。

「アッハッハ。評判では何にもならない。アッハッハ。お前たちにも呆れてしまう。アッハッハ。」

それからやっと笑うのをやめて云いました。

「よしよし。狸は許してやろう。行け。」

「そうかな。ではさよなら。」と狸は又藪の中に這い込みました。カサカサカサカサ音がだんだん遠くなります。何でも余程遠くの方まで行くらしいのです。

獅子はそれをきっと見送って云いました。

「狐。どうだ。これからは改心するか、どうだ。改心するなら今度だけ許してやろう。」

「へいへい。それはもう改心でも何でもきっといたします。」

「改心でも何でもだと。どんなことだ。」

「へいへい。その改心やなんか、いろいろいいことをみんなしますので。」

「ああやっぱりお前はまだだめだ。困ったやつだ。仕方ない、今度は罰しなければならない。」

「大王様。改心だけをやります。」

「いやいや。朝までここに居ろ。夜あけ迄に毛をむしる係りをよこすから。もし逃げたら承知せんぞ。」

「今月の毛をむしる係りはどなたでございますか。」

「猿だ。」

「猿。へい。どうかご免をねがいます。あいつは私とはこの間から仲が悪いのでどんなひどいことをするか知れません。」

「なぜ仲が悪いのだ。おまえは何か欺したろう。」

「いいえ。そうではありません。」

「そんならどうしたのだ。」

「猿が私の仕掛けた草わなをこわしましたので。」

「そうか。そのわなは何をとる為だ。」

「鶏です。」

「ああ呆れたやつだ。困ったもんだ。」と獅子は大きくため息をつきました。狐もおいおい泣きだしました。

向こうから白熊が一目散に走って来ます。獅子は道へステッキをつき出して呼びとめました。

「とまれ、白熊、とまれ。どうしたのだ。ひどくあわてているではないか。」

「はい。象めが私の鼻を延ばそうとしてあんまり強く引っ張ります。」

「ふん、そうか。けがは無いか。」

「鼻血を沢山出しました。そして卒倒しました。」

「ふん。そうか。それ位ならよかろう。しかしお前は象の弟子になろうといったのか。」

「はい。」

「そうか。あんなに鼻が延びるには天才でなくてはだめだ。引っぱる位でできるもんじゃない。」

「はい。全くでございます。あ、追いかけて参りました。どうかよろしくおねがい致します。」

白熊は獅子のかげにかくれました。

象が地面をみしみし云わせて走って来ましたので獅子が又ステッキを突き出して叫びました。

「とまれ、象。とまれ。白熊はここに居る。お前は誰をさがしているんだ。」

「白熊です。私の弟子になろうと云います。」

「うん。そうか。しかし白熊はごく温和しいからお前の弟子にならなくてもよかろう。白熊は実に無邪気な君子だ。それよりこの狐を少し教育してやって貰いたいな。せめてうそをつかない位迄な。」

「そうですか。いや、承知いたしました。」

「いま毛をみんなむしろうと思ったのだがあんまり可哀そうでな。教育料はわしから出そう。一ヶ月八百円に負けて呉れ。今月分丈けはやって置こう。」獅子はチョッキのかくしから大きながま口を出してせんべい位ある金貨を八つ取り出して象にわたしました。象は鼻で受けとって耳の中にしまいました。

「さあ行け。狐。よく云うことをきくんだぞ。それから。象。狐はおれからあずかったんだから鼻を無暗に引っぱらないで呉れ。よし。さあみんな行け。」

白熊も象も狐もみんな立ちあがりました。

狐は首を垂れてそれでもきょろきょろあちこちを盗み見ながら象について行き、白熊は鼻を押さえてうちの方へ急ぎました。

獅子は葉巻をくわえマッチをすって黒い山へ沈む十日の月をじっと眺めました。

そこでみんなは目がさめました。十日の月は本当に今山へはいる所です。

狐も沢山くしゃみをして起きあがってうろうろうろ檻の中を歩きながら向こうの獅子の檻の中に居るまっくろな大きなけものを暗をすかしてちょっと見ました。

マリヴロンと少女

まりぶろんとしょうじょ

城あとのおおばこの実は結び、赤つめ草の花は枯れて焦茶色になって、畑の粟は刈りとられ、畑のすみから一寸顔を出した野鼠はびっくりしたように又急いで穴の中へひっこむ。

崖やほりには、まばゆい銀のすすきの穂が、いちめん風に波立っている。

その城あとのまん中の、小さな四っ角山の上に、めくらぶどうのやぶがあってその実がすっかり熟している。

ひとりの少女が楽譜をもってためいきしながら藪のそばの草にすわる。

かすかなかすかな日照り雨が降って、草はきらきら光り、向こうの山は暗くなる。

そのありなしの日照りの雨が霽れたので、草はあらたにきらきら光り、向こうの山は明るくなって、少女はまぶしくおもてを伏せる。

そっちの方から、もずが、まるで音譜をばらばらにしてふりまいたように飛んで来て、みんな一度に、銀のすすきの穂にとまる。

めくらぶどうの藪からはきれいな雫がぽたぽた落ちる。

かすかなけはいが藪のかげからのぼってくる。今夜市庁のホールでうたうマリヴロン女史がライラックいろのもすそをひいてみんなをのがれて来たのである。

いま、そのうしろ東の灰色の山脈の上を、つめたい風がふっと通って、大きな虹が、明るい夢の橋のようにやさしく空にあらわれる。

少女は楽譜をもったまま化石のようにすわってしまう。マリヴロンはここにも人の居たことをむしろ意外におもいながらわずかにまなこに会釈してしばらく虹のそらを見る。

そうだ。今日こそ、ただの一言でも天の才ありうるわしく尊敬されるこの人とことばをかわしたい、丘の小さなぶどうの木が、よぞらに燃えるほのおより、もっとあかるく、もっとかなしいおもいをば、はるかの美しい虹に捧げると、ただこれだけを伝えたい、それからならば、それからならば、あの……〔以下数行分空白〕

「マリヴロン先生。どうか、わたくしの尊敬をお受けくださいませ。わたくしはあすアフリカへ行く牧師の娘でございます。」

少女は、ふだんの透きとおる声もどこかへ行って、しわがれた声を風に半分とられながら叫ぶ。

マリヴロンは、うっとり西の碧いそらをながめていた大きな碧い瞳を、そっちへ向けてすばやく楽譜に記された少女の名前を見てとった。

「何かご用でいらっしゃいますか。あんたはギルダさんでしょう。」

少女のギルダは、まるでぶなの木の葉のようにプリプリふるえて輝いて、いきがせわしくて思うように物が云えない。

「先生どうか私のこころからうやまいを受けとって下さい。」

　マリヴロンはかすかにといきしたので、その胸の黄や菫の宝石は一つずつ声をあげるように輝きました。そして云う。

「うやまいを受けることは、あなたもおなじです。なぜそんなに陰気な顔をなさるのですか。」

「私はもう死んでもいいのでございます。」

「どうしてそんなことを、仰っしゃるのです。あなたはまだまだお若いではありませんか。」

「いいえ。私の命なんか、なんでもないのでございます。あなたが、もし、もっと立派におなりになる為なら、私なんか、百ぺんでも死にます。」

「あなたこそそんなにお立派ではありませんか。あなたは、立派なおしごとをあちらへ行ってなさるでしょう。それはわたくしなどよりははるかに高いしごとです。私などはそれはまことにたよりないのです。ほんの十分か十五分か声のひびきのあるうちのいのちです。」

「いいえ、ちがいます。ちがいます。先生はここの世界やみんなをもっときれいに立派になさるお方でございます。」

　マリヴロンは思わず微笑いました。

「ええ、それをわたくしはのぞみます。けれどもそれはあなたはいよいよそうでしょう。正しく清くはたらくひとはひとつの大きな芸術を時間のうしろにつくるのです。ごらんなさい。向こうの青いそらのなかを一羽の鵠がとんで行きます。鳥はうしろにみなそのあとをもつのです。みんなはそれを見ないでしょうが、わたくしはそれを見るのです。おんなじようにわたくしどもはみなそのあとにひとつの世界をつくって来ます。それがあらゆる人々のいちばん高い芸術です。」

「けれども、あなたは、高く光のそらにかかります。すべて草や花や鳥は、みなあなたをほめて歌います。わたくしはたれにも知られず巨きな森のなかで朽ちてしまうのです。」

「それはあなたも同じです。すべて私に来て、私をかがやかすものは、あなたをもきらめかします。私に与えられたすべてのほめことばは、そのままあなたに贈られます。」

「私を教えて下さい。私を連れて行ってつかって下さい。私はどんなことでもいたします。」

「いいえ私はどこへも行きません。いつでもあなたが考えるそこに居ります。すべてまことのひかりのなかに、いっしょにすんでいっしょにすすむ人人は、いつでもいっしょにいるのです。けれども、わたくしは、もう帰らなければなりません。お日様があまり遠くなりました。もずが飛び立ちます。では。ごきげんよう。」

停車場の方で、鋭い笛がピーと鳴り、もずはみな、一ぺんに飛び立って、気違いになったばらばらの楽譜のように、やかましく鳴きながら、東の方へ飛んで行く。

「先生。私をつれて行って下さい。どうか私を教えてください。」

うつくしくけだかいマリヴロンはかすかにわらったようにも見えた。また当惑してかしらをふったようにも見えた。

そしてあたりはくらくなり空だけ銀の光を増せば、あんまり、もずがやかましいので、しまいのひばりも仕方なく、もいちど空へのぼって行って、少うしばかり調子はずれの歌をうたった。

蛙のゴム靴

かえるのごむぐつ

松の木や楢の木の林の下を、深い堰が流れて居りました。岸には茨やつゆ草やたでが一杯にしげり、そのつゆくさの十本ばかり集まった下のあたりに、カン蛙のうちがありました。

それから、林の中の楢の木の下に、ブン蛙のうちがありました。

林の向こうのすすきのかげには、ベン蛙のうちがありました。

三疋は年も同じなら大きさも大てい同じ、どれも負けず劣らず生意気で、いたずらものでした。

ある夏の暮れ方、カン蛙ブン蛙ベン蛙の三疋は、カン蛙の家の前のつめくさの広場に座って、雲見ということをやって居りました。一体蛙どもは、みんな、夏の雲の峯を見ることが大すきです。じっさいあのまっしろなプクプクした、玉髄のような、玉あられのような、又蛋白石を刻んでこさえた葡萄の置物のような雲の峯は、誰の目にも立派に見えますが、蛙どもには殊にそれが見事なのです。眺めても眺めても厭きないのです。そのわけは、雲のみねというものは、どこか蛙の頭の形に肖ていますし、それから春の蛙の卵に似ています。それで日本人ならば、丁度花見とか月見とかいう処を、蛙どもは雲見をやります。

「どうも実に立派だね。だんだんペネタ形になるね。」

「うん。うすい金色だね。永遠の生命を思わせるね。」

「実に僕たちの理想だね。」

　雲のみねはだんだんペネタ形になって参りました。ペネタ形というのは、蛙どもでは大へん高尚なものになっています。平たいことなのです。雲の峰はだんだん崩れてあたりはよほどうすくらくなりました。

「この頃、ヘロンの方ではゴム靴がはやるね。」ヘロンというのは蛙語です。人間ということです。

「うん。よくみんなはいてるようだね。」

「僕たちもほしいもんだな。」

「全くほしいよ。あいつをはいてなら栗のいがでも何でもこわくないぜ。」

「ほしいもんだなあ。」

「手に入れる工夫はないだろうか。」

「ないわけでもないだろう。ただ僕たちのはヘロンのとは大きさも型も大分ちがうから拵え直さないと駄目だな。」

「うん。それはそうさ。」

　さて雲のみねは全くくずれ、あたりは藍色になりました。そこでベン蛙とブン蛙とは、

「さよなら。」と云ってカン蛙とわかれ、林の下の堰を勇ましく泳いで自分のうちに帰って行きました。

*

あとでカン蛙は腕を組んで考えました。桔梗色の夕暗の中です。しばらくしばらくたってからやっと「ギッギッ」と二声ばかり鳴きました。そして草原をペタペタ歩いて畑にやって参りました、

それから声をうんと細くして、

「野鼠さん、野鼠さん。もおし、もおし。」と呼びました。

「ツン。」と野鼠は返事をして、ひょこりと蛙の前に出て来ました。そのうすぐろい顔も、もう見えないくらい暗いのです。

「野鼠さん。今晩は。一つお前さんに頼みがあるんだが、きいて呉れないかね。」

「いや、それはきいてあげよう。去年の秋、僕が蕎麦団子を食べて、チブスになって、ひどいわずらいをしたときに、あれほど親身の介抱を受けながら、その恩を何でわすれてしまうもんかね。」

「そうか。そんなら一つお前さん、ゴム靴を一足工夫して呉れないか。形はどうでもいいんだよ。僕がこしらえ直すから。」

「ああ、いいとも。明日の晩までにはきっと持って来てあげよう。」

「そうか。それはどうもありがとう。ではお願いするよ。さよならね。」

カン蛙は大よろこびで自分のおうちへ帰って寝てしまいました。

*

次の晩方です。

カン蛙は又畑に来て、

「野鼠さん。野鼠さん。もおし。もおし。」とやさしい声で呼びました。

野鼠はいかにも疲れたらしく、目をとろんとして、はぁあとため息をついて、それに何だか大へん憤って出て来ましたが、いきなり小さなゴム靴をカン蛙の前に投げ出しました。

「そら、カン蛙さん。取ってお呉れ。ひどい難儀をしたよ。大へんな手数をしたよ。命がけで心配したよ。僕はお前のご恩はこれで払ったよ。少し払い過ぎた位かしらん。」と云いながら、野鼠はぷいっと行ってしまったのでした。

カン蛙は、野鼠の激昂のあんまりひどいのに、しばらくは呆れていましたが、なるほど考えて見ると、それも無理はありませんでした。まず野鼠は、ただの鼠にゴム靴をたのむ、ただの鼠は猫にたのむ、猫は犬にたのむ、犬は馬にたのむ、馬は自分の金沓を貰うとき、何とかかんとかごまかして、ゴム靴をもう一足受け取る、それから、馬がそれを犬に渡す、犬が猫に渡す、猫がただの鼠に渡す、ただの鼠が野鼠に渡す、その渡しようもいずれあとでお礼をよこせとか何とか、気味の悪い語がついていたのでしょう、そのほか馬はあとでゴム靴をごまかしたことがわかったら、人間からよほどひどい目にあわされるのでしょう。それ全体を野鼠が心配して考えるのですから、とても命にさわるほどつらい訳です。けれどもカン蛙は、その立派なゴム靴を見ては、もう嬉しくて嬉しくて、口がむずむず云うのでした。

早速それを叩いたり引っぱったりして、丁度自分の足に合うようにこしらえ直し、にたにた笑いながら足にはめ、その晩一ばん中歩きまわり、暁方になってから、ぐったり疲れて自分の家に帰りました。そして睡りました。

＊

「カン君、カン君、もう雲見の時間だよ。おいおい。カン君。」カン蛙は眼をあけました。見るとブン蛙とベン蛙とがしきりに自分のからだをゆすぶっています。なるほど、東にはうすい黄金色の雲の峯が美しく聳えています。

「や、君はもうゴム靴をはいてるね。どこから出したんだ。」

「いや、これはひどい難儀をして大へんな手数をしてそれから命がけほど頭を痛くして取って来たんだ。君たちにはとても持てまいよ。歩いて見せようか。そら、いい工合だろう。僕がこいつをはいてすっすっと歩いたらまるで芝居のようだろう。まるでカーイのようだろう、イーのようだろう。」

「うん、実にいいね。僕たちもほしいよ。けれど仕方ないなあ。」

「仕方ないよ。」

雲の峯は銀色で、今が一番高い所です。けれどもベン蛙とブン蛙とは、雲なんかは見ないでゴム靴ばかり見ているのでした。

そのとき向こうの方から、一疋の美しいかえるの娘がはねて来てつゆくさの向こうからはずかしそうに顔を出しました。

「ルラさん、今晩は。何のご用ですか。」

「お父さんが、おむこさんを探して来いって。」娘の蛙は顔を少し平ったくしました。

「僕なんかはどうかなあ。」ベン蛙が云いました。

「あるいは僕なんかもいいかもしれないな。」ブン蛙が云いました。

ところがカン蛙は一言も物を云わずに、すっすっとそこらを歩いていたばかりです。

「あら、あたしもうきめたわ。」

「誰にさ？」二疋は眼をぱちぱちさせました。

カン蛙はまだすっすっと歩いています。

「あの方だわ。」娘の蛙は左手で顔をかくして右手の指をひろげてカン蛙を指しました。

「おいカン君、お嬢さんがきみにきめたとさ。」

「何をさ？」

カン蛙はけろんとした顔つきをしてこっちを向きました。

「お嬢さんがおまえさんを連れて行くとさ。」

カン蛙は急いでこっちへ来ました。

「お嬢さん今晩は、僕に何か用があるんですか。なるほど、そうですか。よろしい。承知しました。それで日はいつにしましょう。式の日は。」

「八月二日がいいわ。」

「それがいいです。」カン蛙はすまして空を向きました。

そこでは雲の峯がいままたペネタ型になって流れています。

「そんならあたしうちへ帰ってみんなにそう云うわ。」

「ええ、」

「さよなら」

「さよならね。」

ベン蛙とブン蛙はぶりぶり怒(おこ)って、いきなりくるりとうしろを向いて帰ってしまいました。しゃくにさわったまぎれに、あの林の下の堰(せき)を、ただ二足(ふたあし)にちぇっちぇっと泳いだのでした。そのあとでカン蛙のよろこびようと云ったらもうとてもありません。あちこちあるいてあるいて、東から二十日(はつか)の月が登るころやっとうちに帰って寝(ね)ました。

＊

さてルラ蛙の方でも、いろいろ仕度(したく)をしたりカン蛙と談判をしたり、だんだん事がまとまりました。いよいよあさってが結婚式(けっこんしき)という日の明方(あけがた)、カン蛙は夢の中で、

「今日は僕はどうしてもみんなの所を歩いて明後日(あさって)の式に招待して来ないといけないな。」と云いました。ところがその夜明方から朝にかけて、いよいよ雨が降りはじめました。林はガアガアと鳴り、カン蛙のうちの前のつめくさは、うす濁(にご)った水をかぶってぼんやりとかすんで見えました。それでもカン蛙は勇(いさ)んで家を出ました。せきの水は濁って大へんに増し、幾本(いくほん)もの蓼(たで)やつゆくさは、すっかり水の中になりました。飛び込(こ)むのは一寸(ちょっと)こわいくらいです。カン蛙は、けれども一本のたでから、ピチャンと水に飛び込んで、ツイツイツイ泳ぎました。泳ぎながらどんどん流されました。それでもとにかく向こうの岸にのぼりました。

それから苔(こけ)の上をずんずん通り、幾本(いくほん)もの虫のあるく道を横切って、大粒(おおつぶ)の雨にうたれゴム靴(ぐつ)をピチャピチャ云(い)わせながら、楢(なら)の木の下のブン蛙(がえる)のおうちに来て高く叫(さけ)びました。

「今日(こんにち)は、今日は。」

「どなたですか。ああ君か。はいり給(たま)え。」

「うん、どうもひどい雨だね。パッセン大街道(だいかいどう)も今日はいきものの影(かげ)さえないぞ。」

「そうか。ずいぶんひどい雨だ。」

「ところで君も知ってる通り、明後日(あさって)は僕(ぼく)の結婚式(けっこんしき)なんだ。どうか来て呉(く)れ給え。」

「うん。そうそう。そう云えばあの時あのちっぽけな赤い虫が何かそんなこと云っていたようだったね。行こう。」

「ありがとう。どうか頼(たの)むよ。それではさよならね。」

「さよならね。」

カン蛙は又(また)ピチャピチャ林の中を通ってすすきの中のベン蛙のうちにやって参りました。

「今日は、今日は。」

「どなたですか。ああ君か。はいれ。」

「ありがとう。どうもひどい雨だ。パッセン大街道も今日はしんとしてるよ。」

「そうか。ずいぶんひどいね。」

「ところで君も知ってるだろうが明後日(あさって)僕の結婚式なんだ。どうか来て呉れ給え。」

「ああ、そんなことどこかで聞いたっけねい。行こう。」

「どうか。ではさよならね。」

「さよならね。」そしてカン蛙は又ピチャピチャ林の中を歩き、プイプイ堰を泳いで、おうちに帰ってやっと安心しました。

*

丁度そのころブン蛙はベン蛙のところへやって来たのでした。

「今日は、今日は。」

「はい。やあ、君か。はいれ。」

「カンが来たろう。」

「うん。いまいましいね。」

「全くだ。畜生。何とかひどい目にあわしてやりたいね。」

「僕がうまいこと考えたよ。明日の朝ね、雨がはれたら結婚式の前に一寸散歩しようと云ってあいつを引っぱり出して、あそこの萱の刈跡をあるくんだよ。僕らも少しは痛いだろうがまあ我慢してさ。するとあいつのゴム靴がめちゃめちゃになるだろう。」

「うん。それはいいね。しかし僕はまだそれ位じゃ腹が癒えないよ。結婚式がすんだらあいつらを引っぱり出して、あの畑の麦をほした杭の穴に落としてやりたいね。上に何か木の葉でもかぶせて置こう。それは僕がやって置くよ。面白いよ。」

「それもいいね。じゃ、雨がはれたらね。」

「うん。」

「ではさよならね。」

蛙の挨拶の「さよならね」ももう鼻について厭きて参りました。もう少しです。我慢して下さい。ほんのもう少しですから。

＊

次の日のひるすぎ、雨がはれて陽が射しました。ベン蛙とブン蛙とが一緒にカン蛙のうちへやって来ました。

「やあ、今日はおめでとう。お招き通りやって来たよ。」

「うん、ありがとう。」

「ところで式まで大分時間があるだろう。少し歩こうか。散歩すると血色がよくなるぜ。」

「そうだ。では行こう。」

「三人で手をつないでこうね。」ブン蛙とベン蛙とが両方からカン蛙の手を取りました。

「どうも雨あがりの空気は、実にうまいね。」

「うん。さっぱりして気持ちがいいね。」三疋は萱の刈跡にやって参りました。

「ああいい景色だ。ここを通って行こう。」

「おい。ここはよそうよ。もう帰ろうよ。」

「いいや折角来たんだもの。も少し行こう。そら歩きたまえ。」二疋は両方からぐいぐいカン蛙の手をひっぱって、自分たちも足の痛いのを我慢しながらぐんぐん萱の刈跡をあるきました。

「おい。よそうよ。よして呉れよ。ここは歩けないよ。あぶないよ。帰ろうよ。」

「実にいい景色だねえ。も少し急いで行こうか。」と二疋が両方から、まだ破けないカン蛙のゴム靴を見ながら一緒に云いました。

「おい。よそうよ。冗談じゃない。よそう。あ痛っ。あぁあ、とうとう穴があいちゃった。」

「どうだ。この空気のうまいこと。」

「おい。帰ろうよ。ひっぱらないで呉れよ。」

「実にいい景色だねえ。」

「放して呉れ。放して呉れ。放せったら。畜生。」

「おや、君は何かに足をかじられたんだね。そんなにもがかなくてもいいよ。しっかり押さえてるから。」

「放せ、放せ、放せったら、畜生。」

「まだかじってるかい。そいつは大変だ。早く逃げ給え。走ろう。さあ。そら。」

「痛いよ。放せったら放せ。えい畜生。」

「早く、早く。そら、もう大丈夫だ。おや。君の靴がぼろぼろだね。どうしたんだろう。」

実際ゴム靴はもうボロボロになって、カン蛙の足からあちこちにちらばって、無くなりました。カン蛙は何とも言えないうらめしそうな顔をして、口をむにゃむにゃやりました。実はこれは歯を食いしばるところなのですが、歯がないのですからむにゃむにゃやるより仕方ないのです。二疋はやっと手をはなして、しきりに両方からお世辞を云いました。

「君、あんまり力を落とさない方がいいよ。靴なんかもうあったってないったって、お嫁さんは来るんだから。」

「もう時間だろう。帰ろう。帰って待ってようか。ね。君。」

カン蛙はふさぎこみながらしぶしぶあるき出しました。

＊

三疋がカン蛙のおうちに着いてから、しばらくたって、ずうっと向こうから、蕗の葉をかざしたりがまの穂を立てたりしてお嫁さんの行列がやって参りました。

だんだん近くになりますと、お父さんにあたるがん郎がえるが、

「こりゃ、むすめ、むこどのはあの三人の中のどれじゃ。」とルラ蛙をふりかえってたずねました。

ルラ蛙は、小さな目をパチパチさせました。というわけは、はじめカン蛙を見たときは、実はゴム靴のほかにはなんにも気を付けませんでしたので、三疋ともはだしでぞろりとならんでいるのでは実際どうも困ってしまいました。そこで仕方なく、

「もっと向こうへ行かないと、よくわからないわ。」と云いました。

「そうですとも。間違ってては大へんです。よくおちついて。」と仲人のかえるもうしろで云いました。

ところがもっと近くによりますと、尚更わからなくなりました。三疋とも口が大きくて、うすぐろくて、眼の出た工合も実によく似ているのです。これにはいよいよどうも困ってしまったのでした。ところが、そのうちに、一番右はじに居たカン蛙がパクッと口をあけて、一足前に出て

おじぎをしました。そこでルラ蛙もやっと安心して、

「あの方よ。」と云いました。さてそれから式がはじまりました。その式の盛大なこと酒もりの立派なこととても書くのも大へんです。

とにかく式がすんで、向こうの方はみな引きあげて行きました。その時丁度雲のみねが一番かがやいて居りました。

「さあ新婚旅行だ。」とベン蛙が云いました。

「僕たちはじきそこまで見送ろう。」ブン蛙が云いました。

カン蛙も仕方なく、ルラ蛙もつれて、新婚旅行に出かけました。そしてたちまちあの木の葉をかぶせた杭あとに来たのです。ブン蛙とベン蛙が、

「ああ、ここはみちが悪い。おむこさん。手を引いてあげよう。」と云いながら、カン蛙が急いでちぢめる間もなく、両方から手をとって、自分たちは穴の両側を歩きながら無理にカン蛙を穴の上にひっぱり出しました。するとカン蛙の載った木の葉がガサリと鳴り、カン蛙はふらふらっと一寸ばかりめり込みました。ブン蛙とベン蛙がくるりと外の方を向いて逃げようとしましたが、カン蛙がピタリと両方共とりついてしまいましたので二疋のふんばった足がぷるぷるっとけいれんし、そのつぎにはとうとう「ポトン、バチャン。」

三疋とも、杭穴の底の泥水の中に陥ちてしまいました。上を見ると、まるで小さな円い空が見えるだけ、かがやく雲の峯は一寸のぞいて居りますが、蛙たちはもういくらもがいてもとりつくものもありませんでした。

そこでルラ蛙はもう昔習った六百米の奥の手を出して一目散にお父さんのところへ走って行きました。するとお父さんたちはお酒に酔っていてみんなぐうぐう睡っていていくら起こしても起きませんでした。そこでルラ蛙はまたもとのところへ走って来てまわりをぐるぐるぐるぐるまわって泣きました。

そのうちだんだん夜になりました。

パチャパチャパチャパチャ。

ルラ蛙はまたお父さんのところへ行きました。いくら起こしても起きませんでした。

夜があけました。

パチャパチャパチャパチャ。

ルラ蛙はまたお父さんのところへ行きました。いくら起こしても起きませんでした。

日が暮れました。雲のみねの頭。

パチャパチャパチャパチャ。

ルラ蛙はまたお父さんのところへ行きました。いくら起こしても起きませんでした。

夜が明けました。

パチャパチャパチャパチャパチャ。

雲のみね。ペネタ形。

ちょうどこのときお父さんの蛙はやっと眼がさめてルラ蛙がどうなったか見ようと思って出掛けて来ました。

するとそこにはルラ蛙がつかれてまっ青になって腕を胸に組んで座ったまま睡っていました。

「おいどうしたのか。おい。」

「あらお父さん、三人この中へおっこっているわ。もう死んだかもしれないわ」

お父さんの蛙は落ちないように気をつけながら耳を穴の口へつけて音をききましたら、かすかにぴちゃという音がしました。

「占めた」と叫んでお父さんは急いで帰って仲間の蛙をみんなつれて来ました。そして林の中からひかげのかつらをとって来てそれを穴の中につるして、とうとう一ぴきずつ穴からひきあげました。

三疋ともう白い腹を上へ向けて眼はつぶって口も堅くしめて半分死んでいました。

みんなでごまざいの毛をとって来てこすってやったりいろいろしてやっと助けました。

そこでカン蛙ははじめてルラ蛙といっしょになりほかの蛙も大へんそれからは心を改めてみんなよく働くようになりました。

まなづるとダァリヤ

まなづるとだぁりや

くだものの畑の丘（おか）のいただきに、ひまわりぐらいせいの高い、黄色なダァリヤの花が二本と、まだたけ高く、赤い大きな花をつけた一本のダァリヤの花がありました。

この赤いダァリヤは花の女王になろうと思っていました。

風が南からあばれて来て、木にも花にも大きな雨のつぶを叩（たた）きつけ、丘の小さな栗（くり）の木からさえ、青いいがや小枝（こえだ）をむしってけたたましく笑って行く中で、この立派な三本のダァリヤの花は、しずかにからだをゆすりながら、かえっていつもよりかがやいて見えて居（お）りました。

それから今度は北風又三郎（きたかぜまたさぶろう）が、今年はじめて笛（ふえ）のように青ぞらを叫（さけ）んで過ぎた時、丘のふもとのやまならしの木はせわしくひらめき、果物畑（くだものばたけ）の梨（なし）の実は落ちましたが、此（こ）のたけ高い三本のダァリヤは、ほんのわずか、きらびやかなわらいを揚（あ）げただけでした。

*

黄色な方の一本が、こころを南の青白い天末（てんまつ）に投げながら、ひとりごとのように云（い）ったのでした。

「お日さまは、今日はコバルト硝子（ガラス）の光のこなを、すこうしよけいにお播（ま）きなさるようですわ。」

しみじみと友達の方を見ながら、もう一本の黄色なダァリヤが云いました。

「あなたは今日はいつもより、少し青ざめて見えるのよ。きっとあたしもそうだわ。」

「ええ、そうよ。そしてまあ」赤いダァリヤに云いました「あなたの今日のお立派なこと。あたしなんだかあなたが急に燃え出してしまうような気がするわ。」

赤いダァリヤの花は、青ぞらをながめて、日にかがやいて、かすかに笑って答えました。

「こればっかしじゃ仕方ないわ。あたしの光でそこらが赤く燃えるようにならないくらいなら、まるでつまらないのよ。あたしもうほんとうに苛々(いらいら)してしまうわ。」

やがて太陽は落ち、黄水晶(シトリン)の薄明穹(はくめいきゅう)も沈(しず)み、星が光りそめ、空は青黝(あおぐろ)い淵(ふち)になりました。

「ピートリリ、ピートリリ。」と鳴いて、その星あかりの下を、まなづるの黒い影(かげ)がかけて行きました。

「まなづるさん。あたしずいぶんきれいでしょう。」赤いダァリヤが云いました。

「ああきれいだよ。赤くってねえ。」

鳥は向こうの沼(ぬま)の方のくらやみに消えながらそこにつつましく白く咲(さ)いていた一本の白いダァリヤに声ひくく叫(さけ)びました。

「今ばんは。」

白いダァリヤはつつましくわらっていました。

＊

山山にパラフィンの雲が白く澱(よど)み、夜が明けました。黄色なダァリヤはびっくりして、叫びました。

「まあ、あなたの美しくなったこと。あなたのまわりは桃色の後光よ。」

「ほんとうよ。あなたのまわりは虹から赤い光だけ集めて来たようよ。」

「あら、そう。だってやっぱりつまらないわ。あたしあたしの光でそらを赤くしようと思っているのよ。お日さまが、いつもより金粉をいくらかよけいに撒いていらっしゃるのよ。」

黄色な花は、どちらもだまって口をつぐみました。

その黄金いろのまひるについで、藍晶石のさわやかな夜が参りました。

いちめんのきら星の下を、もじゃもじゃのまなづるがあわただしく飛んで過ぎました。

「まなづるさん。あたしかなり光っていない？」

「ずいぶん光っていますね。」

まなづるは、向こうのほのじろい霧の中に落ちて行きながらまた声ひくく白いダァリヤへ声をかけて行きました。

「今晩は。ご機嫌はいかがですか。」

*

星はめぐり、金星の終わりの歌で、そらはすっかり銀色になり、夜があけました。日光は今朝はかがやく琥珀の波です。

「まあ、あなたの美しいこと。後光は昨日の五倍も大きくなってるわ。」

「ほんとうに眼もさめるようなのよ。あの梨の木まであなたの光が行ってますわ。」

「ええ、それはそうよ。だってつまらないわ。誰（たれ）もまだあたしを女王さまだとは云（い）わないんだから。」

そこで黄色なダァリヤは、さびしく顔を見合わせて、それから西の群青（ぐんじょう）の山脈にその大きな瞳（ひとみ）を投げました。

かんばしくきらびやかな、秋の一日は暮（く）れ、露（つゆ）は落ち星はめぐり、そしてあのまなづるが、三つの花の上の空をだまって飛んで過ぎました。

「まなづるさん。あたし今夜どう見えて？」

「さあ、大したもんですね。けれどももう大分くらいからな。」

まなづるはそして向こうの沼（ぬま）の岸を通ってあの白いダァリヤに云いました。

「今晩は、いいお晩ですね。」

＊

夜があけかかり、その桔梗色（ききょういろ）の薄明（はくめい）の中で、黄色なダァリヤは、赤い花を一寸（ちょっと）見ましたが、急に何か恐（こわ）そうに顔を見合わせてしまって、一ことも物を云いませんでした。赤いダァリヤが叫（さけ）びました。

「ほんとうにいらいらするってないわ。今朝はあたしはどんなに見えているの。」

一つの黄色のダァリヤが、おずおずしながら云いました。

「きっとまっ赤なんでしょうね。だけどあたしらには前のように赤く見えないわ。」

「どう見えるの。云って下さい。どう見えるの。」

も一つの黄色なダァリヤが、もじもじしながら云いました。

「あたしたちにだけそう見えるのよ。ね。気にかけないで下さいね。あたしたちには何だかあなたに黒いぶちぶちができたように見えますわ。」

「あらっ。よして下さいよ。縁起でもないわ。」

太陽は一日かがやきましたので、丘の苹果の半分はつやつや赤くなりました。

そして薄明が降り、黄昏がこめ、それから夜が来ました。

まなづるが

「ピートリリ、ピートリリ。」と鳴いてそらを通りました。

「まなづるさん。今晩は、あたし見える?」

「さよう。むずかしいですね。」

まなづるはあわただしく沼の方へ飛んで行きながら白いダァリヤに云いました。

「今晩は少しあたたかですね。」

＊

夜があけはじめました。その青白い苹果の匂いのするうすあかりの中で、赤いダァリヤが云いました。

「ね、あたし、今日はどんなに見えて。早く云って下さいな。」

黄色なダァリヤは、いくらか赤い花を見ようとしても、ふらふらしたうすぐろいものがあるだけでした。

「まだ夜があけないからわかりませんわ。」

赤いダァリヤはまるで泣きそうになりました。

「ほんとうを云って下さい。ほんとうを云って下さい。あなたがた私にかくしているんでしょう。黒いの。黒いの。」

「ええ、黒いようよ。だけどほんとうはよく見えませんわ。」

「あらっ。何だってあたし赤に黒のぶちなんていやだわ。」

そのとき顔の黄いろに尖ったせいの低い変な三角の帽子をかぶった人がポケットに手を入れてやって来ました。そしてダァリヤの花を見て叫びました。

「あっこれだ。これがおれたちの親方の紋だ。」

そしてポキリと枝を折りました。赤いダァリヤはぐったりとなってその手のなかに入って行きました。

「どこへいらっしゃるのよ。どこへいらっしゃるのよ。あたしにつかまって下さいな。どこへいらっしゃるのよ。」二つのダァリヤも、たまらずしくりあげながら叫びました。

遠くからかすかに赤いダァリヤの声がしました。

その声もはるかにはるかに遠くなり、今は丘のふもとのやまならしの梢のさやぎにまぎれました。そして黄色なダァリヤの涙の中でギラギラの太陽はのぼりました。

フランドン農学校の豚

――ふらんどんのうがっこうのぶた――

〔冒頭部原稿何枚か破棄〕

以外の物質は、みなすべて、よくこれを摂取して、脂肪若くは蛋白質となし、その体内に蓄積す。」とこう書いてあったから、農学校の畜産の、助手や又小使などは金石でないものならばどんなものでも片っ端から、持って来てほうり出したのだ。

尤もこれは豚の方では、それが生まれつきなのだし、充分によくなれていたから、けしていやだとも思わなかった。却ってある夕方などは、殊に豚は自分の幸福を、感じて、天上に向いて感謝していた。というわけはその晩方、化学を習った一年生の、生徒が、自分の前に来ていかにも不思議そうにして、豚のからだを眺めて居た。豚の方でも時々は、あの小さなそら豆形の怒ったような眼をあげて、そちらをちらちら見ていたのだ。その生徒が云った。

「ずいぶん豚というものは、奇体なことになっている。水やスリッパや藁をたべて、それをいちばん上等な、脂肪や肉にこしらえる。豚のからだはまあたとえば生きた一つの触媒だ。白金と同じことなのだ。無機体では白金だし有機体では豚なのだ。考えれば考える位、これは変になることだ。」

豚はもちろん自分の名が、白金と並べられたのを聞いた。それから豚は、白金が、一匁（もんめ）三十円することを、よく知っていたものだから、自分のからだが二十貫（かん）で、いくらになるということも勘定（かんじょう）がすぐ出来たのだ。豚はぴたっと耳を伏（ふ）せ、眼を半分だけ閉じて、前肢（まえあし）をきくっと曲げながらその勘定をやったのだ。

$20 \times 1000 \times 30 = 600000$　実に六十万円だ。六十万円といったならそのころのフランドンあたりでは、まあ第一流の紳士（しんし）なのだ。いまだってそうかも知れない。さあ第一流の紳士だもの、豚がすっかり幸福を感じ、あの頭のかげの方の鮫（さめ）によく似た大きな口を、にやにや曲げてよろこんだのも、けして無理とは云われない。

ところが豚の幸福も、あまり永くは続かなかった。

それから二三日たって、そのフランドンの豚は、どさりと上から落ちて来た一（ひと）かたまりのたべ物から、（大学生諸君、意志を鞏固（きょうこ）にもち給（たま）え。いいかな。）たべ物の中から、一寸（ちょっと）細長い白いもので、さきにみじかい毛を植えた、ごく率直（そっちょく）に云うならば、ラクダ印の歯磨楊子（はみがきようじ）、それを見たのだ。どうもいやな説教で、折角（せっかく）洗礼を受けた、大学生諸君にすまないが少しこらえてくれ給え。

豚は実にぎょっとした。一体、その楊子の毛を見ると、自分のからだ中（じゅう）の毛が、風に吹（ふ）かれた草のよう、ザラッザラッと鳴ったのだ。豚は実に永い間、変な顔して、眺（なが）めていたが、とうとう頭がくらくらして、いやないやな気分になった。いきなり向こうの敷藁（しきわら）に頭を埋（う）めてくるっと寝（ね）てしまったのだ。

晩方になり少し気分がよくなって、豚はしずかに起きあがる。気分がいいと云ったたって、結局豚の気分だから、苹果のようにさくさくし、青ぞらのように光るわけではもちろんない。これ灰色の気分である。灰色にしてややつめたく、透明なるところの気分である。さればまことに豚の心もちをわかるには、豚になって見るより致し方ない。

外来ヨウクシャイヤでも又黒いバアクシャイヤでも豚は決して自分が魯鈍だとか、怠惰だとかは考えない。最も想像に困難なのは、豚が自分の平らなせなかを、棒でどしゃっとやられたとき何と感ずるかということだ。さあ、日本語だろうか伊太利亜語だろうか独乙語だろうか英語だろうか。さあどう表現したらいいか。さりながら、結局は、叫び声以外わからない。カント博士と同様に全く不可知なのである。

さて豚はずんずん肥り、なんべんも寝たり起きたりした。フランドン農学校の畜産学の先生は、毎日来ては鋭い眼で、じっとその生体量を、計算しては帰って行った。

「も少しきちんと窓をしめて、室中暗くしなくては、脂がうまくかからんじゃないか。それにもうそろそろと肥育をやってもよかろうな、毎日亜麻仁を少しずつやって置いて呉れないか。」教師は若い水色の、上着の助手に斯う云った。豚はこれをすっかり聴いた。そして又大へんいやになった。楊子のときと同じだ。折角のその亜麻仁も、どうもうまく咽喉を通らなかった。これらはみんな畜産の、その教師の語気について、豚が直覚したのである。（とにかくあいつら二人は、おれにたべものはよこすが、時々まるで北極の、空のような眼をして、おれのからだをじっと見る、実に何ともたまらない、とりつきばもないようなきびしいこころで、おれのことを考えている、そのことは恐い、ああ、恐い。）豚は心に思いながら、もうたまらなくなり前の柵を、むちやくちゃに鼻で突っ突いた。

ところが、丁度その豚の、殺される前の月になって、一つの布告がその国の、王から発令されていた。

それは家畜撲殺同意調印法といい、誰でも、家畜を殺そうというものは、その家畜から死亡承諾書を受け取ること、又その承諾証書には家畜の調印を要すると、こう云う布告だったのだ。

さあそこでその頃は、牛でも馬でも、もうみんな、殺される前の日には、主人から無理に強いられて、証文にペタリと印を押したもんだ。ごくとしよりの馬などは、わざわざ蹄鉄をはずされて、ぼろぼろなみだをこぼしながら、その大きな判をぱたっと証書に押したのだ。

フランドンのヨークシャイヤも又活版刷りに出来ているその死亡証書を見た。見たというのは、或る日のこと、フランドン農学校の校長が、大きな黄色の紙を持ち、豚のところにやって来た。豚は語学も余程進んでいたのだし、又実際豚の舌は柔らかで素質も充分あったのでごく流暢な人間語でしずかに校長に挨拶した。

「校長さん、いいお天気でございます。」

校長はその黄色な証書をだまって小わきにはさんだまま、ポケットに手を入れて、にがわらいして斯う云った。

「うんまあ、天気はいいね。」

豚は何だか、この語が、耳にはいって、それから咽喉につかえたのだ。おまけに校長がじろじろと豚のからだを見ることは全くあの畜産の、教師とおんなじことなのだ。

豚はかなしく耳を伏せた。そしてこわごわ斯う云った。

「私はどうも、このごろは、気がふさいで仕方ありません。」

校長は又にがわらいを、しながら豚に斯う云った。

「ふん。気がふさぐ。そうかい。もう世の中がいやになったかい。そういうわけでもないのかい。」豚があんまり陰気な顔をしたものだから校長は急いで取り消しました。

それから農学校長と、豚とはしばらくしいんとしてにらみ合ったまま立っていた。ただ一言も云わないでじいっと立って居ったのだ。そのうちにとうとう校長は今日は証書はあきらめて、「とにかくよくやすんでおいで。あんまり動きまわらんでね。」例の黄いろな大きな証書を小わきにかいこんだまま、向こうの方へ行ってしまう。

豚はそのあとで、何べんも、校長の今の苦笑やいかにも底意のある語を、繰り返し繰り返しして見て、身ぶるいしながらひとりごとした。

『とにかくよくやすんでおいで。あんまり動きまわらんでね。』一体これはどう云う事か。ああつらいつらい。豚は斯う考えて、まるであの梯形の、頭も割れるように思った。おまけにその晩は強いふぶきで、外では風がすさまじく、乾いたカサカサした雪のかけらが、小屋のすきまから吹きこんで豚のたべものの余りも、雪でまっ白になったのだ。

ところが次の日のこと、畜産学の教師が又やって来て例の、水色の上着を着た、顔の赤い助手といつものするどい眼付して、じっと豚の頭から、耳から脊中から尻尾まで、まるでまるで食い込むように眺めてから、尖った指を一本立てて、

「毎日亜麻仁(あまに)をやってあるかね。」

「やってあります。」

「そうだろう。もう明日だって明後日(あさって)だって、いいんだから。早く承諾書(しょうだくしょ)をとりゃいいんだ。どうしたんだろう、昨日(きのう)校長は、たしかに証書をわきに挟(はさ)んでこっちの方へ来たんだが。」

「はい、お入りのようでした。」

「それではもうできてるかしら。出来ればすぐよこす筈(はず)だがね。」

「はあ。」

「も少し室(へや)をくらくして、置いたらどうだろうか。それからやる前の日には、なんにも飼料(しりょう)をやらんでくれ。」

「はあ、きっとそう致(いた)します。」

　畜産の教師は鋭(するど)い目で、もう一遍(いっぺん)じいっと豚を見てから、それから室を出て行った。

　そのあとの豚の煩悶(はんもん)さ、（承諾書というのは、何の承諾書だろう何を一体しろと云うのだ、やる前の日には、なんにも飼料をやっちゃいけない、やる前の日って何だろう。一体何をされるんだろう。どこか遠くへ売られるのか。ああこれはつらいつらい。）豚の頭の割れそうな、ことはこの日も同じだ。その晩豚はあんまりに神経が興奮(こうふん)し過ぎてよく睡(ねむ)ることができなかった。ところが次の朝になって、やっと太陽が登った頃(ころ)、寄宿舎の生徒が三人、げたげた笑って小屋へ来た。そして一晩(ひとばん)睡らないで、頭のしんしん痛む豚に、又もや厭(いや)な会話を聞かせたのだ。

「いつだろうなあ、早く見たいなあ。」

「僕は見たくないよ。」

「早いといいなあ、囲って置いた葱だって、あんまり永いと凍っちまう。」

「馬鈴薯もしまってあるだろう。」

「しまってあるよ。三斗しまってある。とても僕たちだけで食べられるもんか。」

「今朝はずいぶん冷たいねえ。」一人が白い息を手に吹きかけながら斯う云いました。

「豚のやつは暖かそうだ。」一人が斯う答えたら三人共どっとふき出しました。

「豚のやつは脂肪でできた、厚さ一寸の外套を着てるんだもの、暖かいさ。」

「暖かそうだよ。どうだ。湯気さえほやほやと立っているよ。」

豚はあんまり悲しくて、辛くてよろよろしてしまう。

「早くやっちまえばいいな。」

三人はつぶやきながら小屋を出た。そのあとの豚の苦しさ、（見たい、見たくない、早いといい、葱が凍る、馬鈴薯三斗、食いきれない。厚さ一寸の脂肪の外套、おお恐い、ひとのからだをまるで観透してるおお恐い。恐い。けれども一体おれと葱と、何の関係があるだろう。ああつらいなあ。）その煩悶の最中に校長が又やって来た。入口でばたばた雪を落として、それから例のあいまいな苦笑をしながら前に立つ。

「どうだい。今日は気分がいいかい。」

「はい、ありがとうございます。」

「いいのかい。大へん結構だ。たべ物は美味しいかい。」

「ありがとうございます。大へんに結構でございます。」

「そうかい。それはいいね、ところで実は今日はお前と、内内相談に来たのだがね、どうだ頭ははっきりかい。」

「はあ。」豚は声がかすれてしまう。

「実はね、この世界に生きてるものは、みんな死ななきゃいかんのだ。実際もうどんなもんでも死ぬんだよ。人間の中の貴族でも、金持でも、又私のような、中産階級でも、それからごくつまらない乞食でもね。」

「はあ、」豚は声が咽喉につまって、はっきり返事ができなかった。

「また人間でない動物でもね、たとえば馬でも、牛でも、鶏でも、なまずでも、バクテリヤでも、みんな死ななきゃいかんのだ。蜉蝣のごときはあしたに生まれ、夕に死する、ただ一日の命なのだ。みんな死ななきゃならないのだ。だからお前も私もいつか、きっと死ぬのにきまってる。」

「はあ。」豚は声がかすれて、返事もなにもできなかった。

「そこで実は相談だがね、私たちの学校では、お前を今日まで養って来た、大したこともなかったが、学校としては出来るだけ、ずいぶん大事にしたはずだ。お前たちの仲間もあちこちに、ずいぶんあるし又私も、まあよく知っているのだが、でそう云っちゃ可笑しいが、まあ私の処ぐらい、待遇のよい処はない。」

「はあ。」豚は返事しようと思ったが、その前にたべたものが、みんな咽喉へつかえてどうしても声が出て来なかった。

「でね、実は相談だがね、お前がもしも少しでも、そんなようなことが、ありがたいと云う気がしたら、ほんの小さなたのみだが承知をしては貰えまえか。」

「はあ。」豚は声がかすれて、返事がどうしてもできなかった。

「それはほんの小さなことだ。ここに斯う云う紙がある、この紙に斯う書いてある。死亡承諾書、私儀永々御恩顧の次第に有之候儘、御都合により、何時にても死亡仕るべく候　年月日フランドン畜舎内、ヨークシャイヤ、フランドン農学校長殿　とこれだけのことだがね、」校長はもう云い出したので、一瀉千里にまくしかけた。

「つまりお前はどうせ死ななきゃいかないからその死ぬときはもう潔く、いつでも死にますと斯う云うことで、一向何でもないことさ。死な.なくてもいいうちは、一向死ぬことも要らないよ。ここの処へただちょっとお前の前肢の爪印を、一つ押しておいて貰いたい。それだけのことだ。」

豚は眉を寄せて、つきつけられた証書を、じっとしばらく眺めていた。校長の云う通りなら、何でもないがつくづくと証書の文句を読んで見ると、まったく大へんに恐かった。とうとう豚はこらえかねてまるで泣き声でこう云った。

「何時にてもということは、今日でもということですか。」

校長はぎくっとしたが気をとりなおしてこう云った。

「まあそうだ。けれども今日だなんて、そんなことは決してないよ。」

「でも明日でもというんでしょう。」

「さあ、明日なんていうようそんな急でもないだろう。いつでも、いつかというようなごくあいまいなことなんだ。」

「死亡をするということは私が一人で死ぬのですか。」豚は又金切声で斯うきいた。

「うん、すっかりそうでもないな。」

「いやです、いやです、そんならいやです。どうしてもいやです。」豚は泣いて叫んだ。

「いやかい。それでは仕方ない。お前もあんまり恩知らずだ。犬猫にさえ劣ったやつだ。」校長はぷんぷん怒り、顔をまっ赤にしてしまい証書をポケットに手早くしまい、大股に小屋を出て行った。

「どうせ犬猫なんかには、はじめから劣っていますよう。わああ」豚はあんまり口惜しさや、悲しさが一時にこみあげて、もうあらんかぎり泣きだした。けれども半日ほど泣いたら、二晩も眠らなかった疲れが、一ぺんにどっと出て来たのでつい泣きながら寝込んでしまう。その睡りの中でも豚は、何べんも何べんもおびえ、手足をぶるっと動かした。

ところがその次の日のことだ。あの畜産の担任が、助手を連れて又やって来た。そして例のたまらない、目付きで豚をながめてから、大へん機嫌の悪い顔で助手に向かってこう云った。

「どうしたんだい。すてきに肉が落ちたじゃないか。これじゃまるきり話にならん。百姓のうちで飼ったってこれ位にはできるんだ。一体どうしたてんだろう。心当りがつかないかい。頬肉なんかあんまり減った。おまけにショウルダアだって、こんなに薄くちゃなってない。品評会へも出せぁしない。一体どうしたてんだろう。」

助手は唇へ指をあて、しばらくじっと考えて、それからぼんやり返事した。

「さあ、昨日の午后に校長が、おいでになっただけでした。それだけだったと思います。」

畜産の教師は飛び上がる。

「校長？　そうかい。校長だ。きっと承諾書を取ろうとして、すてきなぶまをやったんだ。おじけさせちゃったんだな。それでこいつはぐるぐるして昨夜一晩寝ないんだな。まずいことになったなあ。おまけにきっと承諾書も、取り損ねたにちがいない。まずいことになったなあ。」

教師は実に口惜しそうに、しばらくキリキリ歯を鳴らし腕を組んでから又云った。

「えい、仕方ない。窓をすっかり明けて呉れ。それから外へ連れ出して、少し運動させるんだ。む茶くちゃにたたいたり走らしたりしちゃいけないぞ。日の照らない処を、厩舎の陰のあたりの、雪のない草はらを、そろそろ連れて歩いて呉れ。一回十五分位、それから飼料をやらないで少し腹を空かせてやれ。すっかり気分が直ったらキャベジのいい処を少しやれ。それからだんだん直ったら今まで通りにすればいい。まるで一ヶ月の肥育を、一晩で台なしにしちまった。いいかい。」

「承知いたしました。」

教師は教員室へ帰り豚はもうすっかり気落ちして、ぼんやりと向こうの壁を見る、動きも叫びもしたくない。ところへ助手が細い鞭を持って笑って入って来た。助手は囲いの出口をあけごく叮寧に云ったのだ。

「少しご散歩はいかがです。今日は大へんよく晴れて、風もしずかでございます。それではお供いたしましょう、」ピシッと鞭がせなかに来る、全くこいつはたまらない、ヨウクシャイヤは仕方なくのそのそ畜舎を出たけれど胸は悲しさでいっぱいで、歩けば裂けるようだった。助手はのんきにうしろから、チッペラリーの口笛を吹いてゆっくりやって来る。鞭もぶらぶらふっている。

全体何がチッペラリーだ。こんなにわたしはかなしいのにと豚は度々口をまげる。時々は「ええもう少し左の方を、お歩きなさいましては、いかがでございますか。」なんて、口ばかりうまいことを云いながら、ピシッと鞭を呉れたのだ。（この世はほんとうにつらいつらい、本当に苦の世界なのだ。）こてっとぶたれて散歩しながら豚はつくづく考えた。

「さあいかがです、そろそろお休みなさいませ。」助手は又一つピシッとやる。ウルトラ大学生諸君、こんな散歩が何で面白いだろう。からだの為も何もあったもんじゃない。

豚は仕方なく又畜舎に戻りごろっと藁に横になる。キャベジの青いいい所を助手はわずか持って来た。豚は喰べたくなかったが助手が向こうに直立して何とも云えない恐い眼で上からじっと待っている、ほんとうにもう仕方なく、少しそれを噛じるふりをしたら助手はやっと安心して一つ「ふん。」と笑ってからチッペラリーの口笛を又吹きながら出て行った。いつか窓がすっかり明け放してあったので豚は寒くて耐らなかった。

こんな工合にヨークシャイヤは一日思いに沈みながら三日を夢のように送る。

四日目に又畜産の、教師が助手とやって来た。ちらっと豚を一眼見て、手を振りながら助手に云う。

「いけないいけない。君はなぜ、僕の云った通りしなかった。」

「いいえ、窓もすっかり明けましたし、キャベジのいいのもやりました。運動も毎日叮寧に、十五分ずつやらしています。」

「そうかね、そんなにまでもしてやって、やっぱりうまくいかないかね、じゃもうこいつは瘠せる一方なんだ。神経性営養不良なんだ。わきからどうも出来やしない。あんまり骨と皮だけに、ならないうちにきめなくちゃ、どこまで行くかわからない。おい。窓をみなしめて呉れ。そして肥育器を使うとしよう、飼料をどしどし押し込んで呉れ。麦のふすまを二升とね、亜麻仁を二合、それから玉蜀黍の粉を、五合を水でこねて、団子にこさえて一日に、二度か三度ぐらいに分けて、肥育器にかけて呉れ給え。肥育器はあったろう。」

「はい、ございます。」

「こいつは縛って置き給え。いや縛る前に早く承諾書をとらなくちゃ。校長もさっぱり拙いなあ。」

　畜産の教師は大急ぎで、教舎の方へ走って行き　助手もあとから出て行った。

間もなく農学校長が、大へんあわててやって来た。豚は身体の置き場もなく鼻で敷藁を掘ったのだ。

「おおい、いよいよ急がなきゃならないよ。先頃の死亡承諾書ね、あいつへ今日はどうしても、爪判を押して貰いたい。別に大した事じゃない。押して呉れ。」

「いやですいやです。」豚は泣く。

「厭だ？　おい。あんまり勝手を云うんじゃない、その身体は全体みんな、学校のお陰で出来たんだ。これからだって毎日麦のふすま二升亜麻仁二合と玉蜀黍の、粉五合ずつやるんだぞ、さあいい加減に判をつけ、さあつかないか。」

なるほど斯う怒り出して見ると、校長なんというものは、実際恐いものなんだ。豚はすっかりおびえて了い
「つきます。つきます。」と、かすれた声で云ったのだ。

「よろしい、では。」と校長は、やっとのことに機嫌を直し、手早くあの死亡承諾書の、黄いろな紙をとり出して、豚の眼の前にひろげたのだ。

「どこへつけばいいんですか。」豚は泣きながら尋ねた。

「ここへ。おまえの名前の下へ。」校長はじっと眼鏡越しに、豚の小さな眼を見て云った。豚は口をびくびく横に曲げ、短い前の右肢を、きくっと挙げてそれからピタリと印をおす。

「うはん。よろしい。これでいい。」校長は紙を引っぱって、よくその判を調べてから、機嫌を直してこう云った。戸口で待っていたらしくあの意地わるい畜産の教師がいきなりやって来た。

「いかがです。うまく行きましたか。」

「うん。まあできた。ではこれは、あなたにあげて置きますから。ええ、肥育は何日ぐらいかね、」

「さあいずれ模様を見まして、鶏やあひるなどですと、きっと間違いなく肥りますが、斯う云う神経過敏な豚は、或いは強制肥育では甘く行かないかも知れません。」

「そうか。なるほど。とにかくしっかりやり給え。」

そして校長は帰って行った。今度は助手が変てこな、ねじのついたズックの管と、何かのバケ

ツを持って来た。畜産の教師は云いながら、そのバケツの中のものを、一寸つまんで調べて見た。

「そいじゃ豚を縄って呉れ。」助手はマニラロープを持って、囲いの中に飛び込んだ。豚はばたばた暴れたがとうとう囲いの隅にある、二つの鉄の環に右側の、足を二本共縄られた。

「よろしい、それではこの端を、咽喉へ入れてやって呉れ。」畜産の教師は云いながら、ズックの管を助手に渡す。

「さあ口をお開きなさい。さあ口を。」助手はしずかに云ったのだが、豚は堅く歯を食いしばり、どうしても口をあかなかった。

「仕方ない。こいつを噛ましてやって呉れ。」短い鋼の管を出す。

助手はぎしぎしその管を豚の歯の間にねじ込んだ。豚はもうあらんかぎり、怒鳴ったり泣いたりしたが、とうとう管をはめられて、咽喉の底だけで泣いていた。助手はその鋼の管の間から、ズックの管を豚の咽喉まで押し込んだ。

「それでよろしい。ではやろう。」教師はバケツの中のものを、ズック管の端の漏斗に移して、それから変な螺旋を使い食物を豚の胃に送る。豚はいくら呑むまいとしても、どうしても咽喉で負けてしまい、その練ったものが胃の中に、入って腹が重くなる。これが強制肥育だった。豚の気持ちの悪いこと、まるで夢中で一日泣いた。

次の日教師が又来て見た。

「うまい、肥った。効果がある。これから毎日小使と、二人で二度ずつやって呉れ。」

こんな工合でそれから七日というものは、豚はまるきり外で日が照っているやら、風が吹いてるやら見当もつかず、ただ胃が無暗に重苦しくそれからいやに頰や肩が、ふくらんで来ておしまいは息をするのもつらいくらい、生徒も代わる代わる来て、何かいろいろ云っていた。

あるときは生徒が十人ほどやって来てがやがや斯う云った。

「ずいぶん大きくなったなあ、何貫ぐらいあるだろう。」

「さあ先生なら一目見て、何百目まで云うんだが、おれたちじゃちょっとわからない。」

「比重がわからないからな。」

「比重はわかるさ比重なら、大抵水と同じだろう。」

「どうしてそれがわかるんだい。」

「だって大抵そうだろう。もしもこいつを水に入れたらきっと沈みも浮かびもしない。」

「いいやたしかに沈まない、きっと浮かぶにきまってる。」

「それは脂肪のためだろう、けれど豚にも骨はある。それから肉もあるんだから、たぶん比重は一ぐらいだ。」

「比重をそんなら一として　こいつは何斗あるだろう。」

「五斗五升はあるだろう。」

「いいや五斗五升などじゃない。少なく見ても八斗ある。」

「八斗なんかじゃきかないよ。たしかに九斗はあるだろう。」

「まあ、七斗としよう、七斗なら水一斗が五貫だからこいつは丁度三十五貫。」

「三十五貫はあるな。」

こんなはなしを聞きながらどんなに豚は泣いたろう。なんでもこれはあんまりひどい。ひとのからだを枡ではかる。七斗だの八斗だのという。

そうして丁度七日目に又あの教師が助手と二人、並んで豚の前に立つ。

「もういいようだ。丁度いい。この位まで肥ったらまあ極度だろう。この辺だ。あんまり肥育をやり過ぎて、一度病気にかかってもまたあとまわりになるだけだ。丁度あしたがいいだろう。今日はもう飼をやらんでくれ。それから小使と二人してからだをすっかり洗って呉れ。敷藁も新しくしてね。いいか。」

「承知いたしました。」

豚はこれらの問答を、もう全身の勢力で耳をすまして聴いて居た。（いよいよ明日だ、それがあの、証書の死亡ということか。いよいよ明日だ、明日なんだ。一体どんな事だろう、つらいつらい。）あんまり豚はつらいので、頭をゴッゴッ板へぶっつけた。

そのひるすぎに又助手が、小使と二人やって来た。そしてあの二つの鉄環から、豚の足を解いて助手が云う。

「いかがです、今日は一つ、お風呂をお召しなさいませ。すっかりお仕度ができて居ます。」

豚がまだ承知とも、何とも云わないうちに、鞭がピシッとやって来た。豚は仕方なく歩き出したが、あんまり肥ってしまったので、もうごくことの大儀なこと、三足で息がはあはあした。

そこへ鞭がピシッと来た。豚はまるで潰れそうになりそれでもようよう畜舎の外まで出たら、そこに大きな木の鉢に湯が入ったのが置いてあった。

「さあ、この中にお入りなさい。」助手が又一つパチッとやる。豚はもうやっとのことで、ころげ込むようにしてその高い縁を越えて、鉢の中へ入ったのだ。

小使が大きなブラッシをかけて、豚のからだをきれいに洗う。そのブラッシをチラッと見て、豚は馬鹿のように叫んだ。というわけはそのブラッシが、やっぱり豚の毛でできていた。豚がわめいているうちにからだがすっかり白くなる。

「さあ参りましょう。」助手が又、一つピシッと豚をやる。

豚は仕方なく外に出る。寒さがぞくぞくからだに浸みる。豚はとうとうくしゃみをする。

「風邪を引きますぜ、こいつは。」小使が眼を大きくして云った。

「いいだろうさ腐りがたくて。」助手が苦笑して云った。

豚が又畜舎へ入ったら、敷藁がきれいに代えてあった。寒さはからだを刺すようだ。それに今朝からまだ何も食べないので、胃もうからになったらしく、あらしのようにゴウゴウ鳴った。

豚はもう眼もあけず頭がしんしん鳴り出した。ヨウクシャイヤの一生の間のいろいろな恐ろしい記憶が、まるきり廻り燈籠のように、明るくなったり暗くなったり、頭の中を過ぎて行く。さまざまな恐ろしい物音を聞く。それは豚の外で鳴ってるのか、あるいは豚の中で鳴ってるのか、それさえわからなくなった。そのうちもういつか朝になり教舎の方で鐘が鳴る。間もなくがやがや声がして、生徒が沢山やって来た。助手もやっぱりやって来た。

「外でやろうか。外の方がやはりいいようだ。連れ出して呉れ。おい。連れ出してあんまりギーギー云わせないようにね。まずくなるから。」

畜産の教師がいつの間にか、ふだんとちがった茶いろなガウンのようなものを着て入口の戸に立っていた。

助手がまじめに入って来る。

「いかがですか。天気も大変いいようです。今日少しご散歩なすっては。」又一つ鞭をピチッとあてた。豚は全く異議もなく、はあはあ頬をふくらせて、ぐたっぐたっと歩き出す。前や横を生徒たちの、二本ずつの黒い足が夢のように動いていた。

俄かにカッと明るくなった。外では雪に日が照って豚はまぶしさに眼を細くし、やっぱりぐたぐた歩いて行った。

全体どこへ行くのやら、向こうに一本の杉がある、ちらっと頭をあげたとき、俄かに豚はピカッという、はげしい白光のようなものが花火のように眼の前でちらばるのを見た。そいつから億百千の赤い火が水のように横に流れ出した。天上の方ではキーンという鋭い音が鳴っている。横の方ではごうごう水が湧いている。さあそれからあとのことならば、もう私は知らないのだ。とにかく豚のすぐよこにあの畜産の、教師が、大きな鉄槌を持ち、息をはあはあ吐きながら、少し青ざめて立っている。又豚はその足もとで、たしかにクンクンと二つだけ、鼻を鳴らしてじっとうごかなくなっていた。

生徒らはもう大活動、豚の身体を洗った桶に、も一度新しく湯がくまれ、生徒らはみな上着の袖を、高くまくって待っていた。

助手が大きな小刀で豚の咽喉をザクッと刺しました。

一体この物語は、あんまり哀れ過ぎるのだ。もうこのあとはやめにしよう。とにかく豚はすぐあとで、からだを八つに分解されて、厩舎のうしろに積みあげられた。雪の中に一晩漬けられた。

さて大学生諸君その晩空はよく晴れて金牛宮もきらめき出し二十四日の銀の角、つめたく光る弦月が、青じろい水銀のひかりを、そこらの雲にそそぎかけ、そのつめたい白い雪の中、戦場の墓地のように積みあげられた雪の底に豚はきれいに洗われて八きれになって埋まった。月はだまって過ぎて行く。夜はいよいよ冴えたのだ。

凡例

本コレクションは、『新校本　宮沢賢治全集』（筑摩書房）を底本とし、『新修宮沢賢治全集』、新潮文庫『新編　風の又三郎』『新編　銀河鉄道の夜』『注文の多い料理店』『ポラーノの広場』等を参考にして校訂し、本文を決定しました。

本文は、短歌・文語詩以外は、現代仮名づかいに改めました。また、本文中に使用されている旧字・正字について、常用漢字字体のあるものはそれに改めました。

また、読みやすさを考え、句読点を補い、改行を施した箇所があります。

さらに、常用漢字以外の漢字、宛字、作者独自の用法をしている漢字を中心として、読みにくいと思われる漢字には振り仮名をつけ、送りがなを補いました。「一諸」「大低」などのように作者が常用しており、当時の用法として必ずしも誤りとは言えない用字や表記についても、現代通行の標準的用字・表記に改めたものがあります。

今日の人権意識に照らして不当・不適切と思われる、人種・身分・職業・身体障害・精神障害に関する語句や表現については、時代的背景と作品の価値にかんがみ、そのままとしました。

本文について

杉浦　静

本巻には、花巻（稗貫）農学校教諭時代の後半に初稿が成立した童話、及び、大正十年代前半に執筆された初稿（初期形）への大規模な推敲・手入れにより改作・改稿形が成立した童話を収める。本巻収録童話の草稿に記入された日付のうち最も遅いものは、「まなづるとダァリヤ」の「5. 10. 11」、すなわち一九三〇（昭和五）年十月十一日である。

新たに書き起こされた作品のうち、新しい展開を示すものは、農学校時代の出来事や生徒との交流を、教師の視点から描いた随筆的散文作品である「台川」・「イーハトーボ農学校の春」・「イギリス海岸」や、農学生の生活の背後に農村の現実を直視する「或る農学生の日誌」などの、より現実性の強い作品の存在であろう。これらは、「童話」とは呼びにくい文体や主題をもち、しかし、随筆とも言いにくいものである。「台川」における一人称独白と会話の絡み合いながらの進行や、「或る農学生の日誌」の日記スタイルなど、これまでにない試みの追求もあり、注目すべき一群の散文作品となっている。

初期形からの大幅な改作、改稿によって成立した童話は、ほとんどが赤インク手入れによって最終形態が成立したものである。これは赤インクによる手入れが、同一時期にまとめて行われたことを推測させる。「まなづるとダァリヤ」の訂了日付から推測すれば、一九二八年夏の病臥からの回復期に、洋紙表紙付けの整理と並行して赤インクによる改作・改稿はなされたのであろう。

初期形への大幅な推敲によって成立した作は、次のとおり。（　）内に初期形題名を示した。
「楢ノ木大学士の野宿」（「青木大学士の野宿」）、「タネリはたしかにいちにち噛んでいたようだった」（「若い木霊」）、「寓話　洞熊学校を卒業した三人」（「蜘蛛となめくじと狸」）、「畑のへり」（同）、「月夜のけだもの」（同）、「マリヴロンと少女」（「めくらぶどうと虹」）、「蛙のゴム靴」（「蛙の消滅」）、「まなづるとダァリヤ」（「連れて行かれたダァリヤ」）、「フランドン農学校の豚」（同）

なお、「銀河鉄道の夜」初期形一から初期形二・三への手入れがおこなわれたのも、「〔ポランの広場〕」（「ポラーノの広場」初期形）が書かれたのも、本巻収録作の成立、あるいは改作・改稿と同一時期である。

以下には、本巻収録の童話各篇について、推敲過程の概要、本文依拠稿、洋紙表紙等記入メモ、校訂箇所について略記した。

楢ノ木大学士の野宿

清書後手入稿と、これを筆写した筆写後手入稿、の二種の草稿が現存。内容は、写し間違いと思われる箇所を除き同一である。本文は清書後手入稿の最終形態に拠った。清書後手入稿は、四百字詰原稿用紙五十二枚にブルーブラックインクで清書され、書きながらあるいは直後の手入れがある。なお、本稿には五か所の欠落部がある。洋紙表紙付き。表紙中央には赤インクで題名「楢木（ママ）大学士の野宿」が書かれている。その右肩には赤インクで「要再整」と書かれ、後にブルーブラックインクで消してある。さらに同じインクで、題名の左方から紙の左端にかけて、「仙台在住の一地質学者の物語として書き直すこと。／蛋白石は不可。／ラヂウムなど際物を要す」と書かれている。清書後手入稿からの筆写は、当時花巻農学校生徒であった松田浩一氏によってなされた。氏の在学期間から、清書後手入稿の成立は、一九二四（大正十三）年二月から二五（大正十四）年三月の間と考えられる。本作には先駆形「青木大学士の野宿」が存在する。草稿では「楢ノ木大学士」と「楢の木大学士」が混用されているが、草稿冒頭記載の題名に従って「楢ノ木大学士」に統一した。

台川

下書後手入稿。洋半紙八枚にブルーブラックインクで書かれ、書きながらあるいは直後の手入れの後、筆記具を変えた手入れが行われている。本文は草稿の最終形態に拠った。本作には、農学校の生徒が実名で登場する。これら生徒の在校時期などから、本作は一九二二（大正十一）年秋の体験を題材にしていると推定される。草稿冒頭の題名は読点付き。

イーハトーボ農学校の春

清書後手入稿。六百字詰原稿用紙六枚にブルーブラックインクで清書され、書きながらあるいは直後の手入れがある。本文は草稿の最終形態に拠った。草稿は総ルビだが、本文はパラルビに改めた。第一葉右欄外上方に赤インクで、「スケッチ」との書き込みがあり、各葉上方欄外にはペンで108〜113の自筆紙番号が付されている。途中挿入された楽譜は、最初の箇所にのみ、五線紙にブルーブラックインクで記入したものの切り抜きが貼り込まれている。五線紙記入の音譜等は非自筆。二番目からは、ト音記号と三点ダッシュのみが略記されている。なお、題名は、最初ブルーブラックインクで「太陽マジック」

と書かれていたが、赤インクで削除され、鉛筆で「イーハトーボ農学校の春」と変更されている。なお、詩「小岩井農場」のパート四は、本作の関連作品である（本コレクション第六巻所収）。

イギリス海岸

清書後手入稿。六百字詰原稿用紙十九枚にブルーブラックインクで書かれ、書きながらあるいは直後の手入れの後、筆記具を変えた手入れが行われている。本文は草稿の最終形態に拠った。各葉上方欄外には赤鉛筆で1〜19の自筆紙番号が付されている。作品末尾には、「（一九二三、八、九）」との日付が書かれているが、その後西暦年数と、元号の年数及び出来事の対照表を追記し、次頁に「翌年」と記入している。後日、末尾日付に疑念をもち、あらためて確認するために追記したかと思われる。一九二三年八月九日には賢治は北海道修学旅行引率中であることから、この日付は「（一九二二、八、九）」の誤記と推定されている。

耕耘部の時計

清書後手入稿。六百字詰原稿用紙七枚にブルーブラックインクで書かれ、書きながらあるいは直後の手入れがある。本文は草稿の最終形態に拠った。

タネリはたしかにいちにち噛んでいたようだった

清書後手入稿。六百字詰原稿用紙十枚に青インクで清書され、書きながらあるいは直後の手入れがある。本文は草稿の最終形態に拠った。草稿は総ルビだが、本文はパラルビに改めた。なお、本稿は冒頭部第三行目下方に、宮沢賢治と署名されている。本作は、「若い木霊」（第三巻所収）の改作である。なお、同一名タネリが主人公の未完成作品「サガレンと八月」は関連作品である。

黒ぶどう

清書後手入稿。六百字詰原稿用紙四枚にブルーブラックインクで清書され、書きながらあるいは直後の手入れの後、筆記具を変えた手入れが行われている。本文は草稿の最終形態に拠った。草稿第一葉右端欄外に、赤インクの大きな字で「寓話集中」と書かれている。草稿冒頭の題名は句点付き。

車

清書稿。六百字詰原稿用紙六枚にブルーブラックインクで清書され、書きながらあるいは直後の手入れがある。本文中に三か所、「甲一」と書いてすぐに「ハーシュ」と直した箇所がある。下書きの段階で、主人公の名前が甲一だったことがあると推測される。本文は草稿の最終形態に拠った。

氷と後光（習作）

清書後手入稿。六百字詰原稿用紙八枚にブルーブラックインクで清書され、書きながらあるいは直後の手入れの後、さらに青インクによる抹消及び手入れが行われている。青インクによる抹消及び手入れは部分的で不徹底であるため、本文はブルーブラックインクによる手入れの結果に拠った。なお、「（習作）」は題名の下に一字空きで記されている。

四又の百合

清書後手入稿。六百字詰原稿用紙六枚にブルーブラックインクで清書され、書きながらあるいは直後の手入れの後、筆記具を変えた手入れが行われている。本文は草稿の最終形態に拠った。草稿冒頭の題名は句点付き。

虔十公園林

清書稿。六百字詰原稿用紙十枚に青インクで清書され、書きながらあるいは直後の手入れがある。本文は草稿の最終形態に拠った。

祭の晩

清書稿。四百字詰原稿用紙十一枚にブルーブラックインクで清書され、書きながらあるいは直後の手入れがある。本文は草稿の最終形態に拠った。第一葉冒頭に題名が記入されず、表紙も存在しないため、題名は不明。「祭の晩」は仮題である。

紫紺染について

清書後手入稿（四枚）及び筆写後手入稿（九枚）。四百字詰原稿用紙十三枚にブルーブラックインクで清書及び筆写されている。清書稿には書きながらあるいは直後の手入れの後、筆記具を変えた二度の手入れがある。続く筆写稿には、筆写の後、作者自筆の二度の手入れがある。筆写は当時花巻農学校卒業生であった川村俊雄氏によってなされた。その時期は、一九二四（大正十三）年四月から五月の間とされている。なお、本稿には川村氏筆写部に一か所の欠落がある。本文と同じ原稿用紙の表紙付き。表紙中央やや右寄りにブルーブラックインクで題名が書かれ、その左わきに赤インクで「寓話集中」と書かれている。本文は草稿の最終形態に拠った。

毒もみのすきな署長さん

清書後手入稿。ブルーブラックインクで清書され、書きながらあるいは直後の手入れの後、赤インク、次いで細めのブルーブラックインクで手入れがなされた四百字詰原稿用紙七枚、及び、赤インクで下書きされた後細めのブルーブラックインクで手入れがなされた六百字詰原稿用紙（裏面使用）二枚からなる。冒頭部の草稿は現存しないが、十字屋版『宮沢賢治全集』第四巻口絵にカラー図版として掲載されている。また、紛失以前の筆写稿（飛田三郎氏筆写）が存在する。本文は、現存部分については草稿の最終形態、冒頭部についてはカラー図版及び筆写稿に拠った。なお、冒頭部については、本篇の先駆稿と思われる草稿（清書後手入稿）二枚が現存している。

税務署長の冒険

下書後手入稿。四百字詰原稿用紙（裏使用）六枚及び藁半紙十六枚からなる。第六葉末尾部まではブルーブラックインク、これ以後は鉛筆によって下書きされている。手入れは、前半部も含めて鉛筆によるもののみ。現存第一葉冒頭右側欄外に赤インクで「かかとに脉（みゃく）ある村人気質を軽いユーモアを加えて書く／村名等すっかり東北風のこと」との書き込みがある。作品冒頭数枚は、作者により破棄され、現存草稿冒頭にも題名は書かれていない。題名「税務署長の冒険」は慣用に従った仮題である。

或る農学生の日誌

下書稿。藁半紙二十五枚に鉛筆で書かれ、書きながらあるいは直後の手入れがある。第十三葉裏面右端には詩句断片の書き込みがある。また、本稿とは別に、六百字詰原稿用紙三枚に書かれた構想メモがある。このメモでは、題名は「黎明行進歌」、日誌の書き手は「岩手県稗貫郡湯本村日居城野「栂沢舜二」となっている。本文は草稿の最終形態に拠った。なお、草稿第一葉冒頭は「序」という見出しではじまり、全体の題名は記されていない。また題名の記された表紙も付されていないので、本作の題名「或る農学生の日誌」は慣用に従った。

なめとこ山の熊

下書稿。藁半紙十三枚に鉛筆で書かれ、書きながらあるいは直後の手入れがある。十三枚のうち、第五、六、九、十葉の四枚はもと二葉であったものが切り離されて四葉に分割されたもの。荒物屋のシーン（第六〜八葉）を、時間の猶予を請う熊のエピソードの後ろへ移動するための切り離しである。本文は、草稿の最終形態に拠った。草稿冒頭の題名は、最初「なめとこ山の熊の胆。」と書かれ、後に「の胆」が削除されている。

寓話　洞熊学校を卒業した三人

清書後手入稿。「蜘蛛となめくじと狸」（第三巻所収）の冒頭を差し替え、鉛筆により大幅な手入れを施して「寓話　山猫学校を卒業した三人」に改作した後、さらに濃いブルーブラックインク及び太く濃い鉛筆で手入れして成立した。本文は、濃いブルーブラックインク及び太く濃い鉛筆での手入れの最終形態に拠った。各章の末尾に書かれている、それぞれの季節の「眼の碧い蜂の群」の様子は、「蜘蛛となめくじと狸」への手入れの段階で書き加えられたものである。なお、本稿は、さらに「二、銀色のなめくじはどうしたか。」の章を独立させようとする手入れが行われているが、この手入れについては本文に採用していない。また、数度にわたる手入れの結果、「でした」調と「だった」調の混在などの不整合が生じているが、統一することはしなかった。

畑のへり

清書後手入稿。四百字詰原稿用紙七枚にブルーブラックインクで清書され、書きながらあるいは直後の手入れの後、鉛筆による手入れの結果〈初期形〉が成立。これがさらに赤インクで大幅に手入れされ最終形態が成立した。本文は、草稿の最終形態に拠った。初期形では、蛙は出会った熊蟻に誘われて酒を飲みに行くが、最終形では、もう一匹の蛙との、とうもろこしや人間の女の子を見ながらの会話へと替えられている。なお、初期形には洋紙表紙が付され、題名、赤インク手入れのためのメモ、及び「寓話集中」との書き込みがある。また、裏表紙の裏面には墨と毛筆で短歌「あはれ赤き／たうもろこしの／毛をとりて／かたみに風に／ふきけるものを」が書かれている（本巻口絵参照）。

月夜のけだもの

清書後手入稿。四百字詰原稿用紙十三枚にブルーブラックインクで清書され、書きながらあるいは直後の手入れの後、四度の手入れが行われている。最初のブルーブラックインクによる手入れの結果が

〈初期形〉。これをさらに別種のブルーブラックインクや赤インクによって大幅に手入れすることで最終形態が成立した。本文は、草稿の最終形態に拠った。なお、初期形は、「けだものどもの夢は集まって一つ」になった集合夢・共同夢中でのできごとという枠組みであったが、最終形態では、この枠組みが変更されている。

マリヴロンと少女

清書後手入稿。四百字詰原稿用紙七枚にブルーブラックインクで書かれた「めくらぶどうと虹」を、同一紙葉上で赤インクを用いて手入れ改作したのが本作である。洋紙表紙付き。表紙記入題名は「めくらぶどうと虹」のままであるが、表紙裏には、改作メモを赤インクで「少女を戦場に行く看護婦とする」と書き、さらに「アフリカの兄のもとへ行く少女」と直している。草稿冒頭の題名は、「めくらぶどうと虹」を「マリヴロンと耕女」と直した後さらに「マリヴロンと少女」としている。草稿では、「マリヴロン」と「マリブロン」が混用されている。モデルとされるオペラ歌手の綴りは「Marie Malibran」であるが、草稿冒頭題名に従って「マリヴロン」に統一した。

蛙のゴム靴

清書後手入稿。四百字詰原稿用紙十九枚にブルーブラックインクで書かれた「蛙の消滅」を改題し、赤インクにより裏表紙裏まで用いた大幅な手入れを施すことにより成立。本文は、草稿の最終形態に拠った。洋紙表紙付き。表紙中央に「蛙のゴム靴」と記され、右半分に「動物寓話集中」と書かれた後「寓話集」の三字には赤インクの消し線が付された。また、題名左方やや下寄りには赤インクで「要再訂」と書かれている。初期形「蛙の消滅」では、ゴム靴をはいたカン蛙と結婚することになるのは「美しいてんとうむし」であり、末尾では穴に落ちた三匹の蛙はまさに消滅してしまうのであった。

まなづるとダァリヤ

清書後手入稿。四百字詰原稿用紙十一枚にブルーブラックインクで書かれた「連れて行かれたダアリヤ」への数次の手入れの後、改題、さらに赤インクによる大幅な改変により成立した。本文は、草稿の最終形態に拠った。洋紙表紙付き。表紙中央にブルーブラックインクで書かれた「連れて行かれたダァリヤ」が、鉛筆で「まなづるとダアリヤ」に書き直され、表紙左半には、鉛筆で改作のためのメモが書かれている。また、題名右上には、赤インクにより「5. 10. 11　訂了」(訂了は丸囲み)と書かれている。「連れて行かれたダァリヤ」の末尾でダァリヤは闇に連れて行かれるが、改稿形では、人間に手折られることになる。なお、草稿の最終形態でも「ダァリヤ」「ダアリヤ」「ダァリア」「ダリヤ」が混用されているが、初稿以来もっとも優勢な「ダァリヤ」で統一した。

フランドン農学校の豚

清書後手入稿。二種の四百字詰原稿用紙二十九枚に書かれた「フランドン農学校の豚」(初期形)への筆記具を変えた数次の手入れの後成立。本文は、草稿の最終形態に拠った。第一葉右端欄外に赤インクで「寓話集中」、右半上部欄外には鉛筆横書きで「Fantasies in the Fariës Agricultural School」との記入がある。草稿冒頭に題名記入はない。「フランドン農学校の豚」は慣用に従った仮題である。

エッセイ・賢治を愉しむために

賢治先生、授業中

門井慶喜

ひとりの作家の全集がおなじ版元から出た回数では、岩波書店の『漱石全集』と、筑摩書房の『賢治全集』は双璧ではないか。

文庫版や派生品をのぞけば戦後だけでも漱石は四度、賢治は五度。日本出版史の偉観というべきだが、その全集のまとう空気は、

――ため息が出る。

と言いたくなるほど対照的である。ひとことで言うなら、漱石は恒星的、賢治は惑星的なのだ。

何しろ漱石には弟子がたくさんいた。寺田寅彦、森田草平、鈴木三重吉、阿部次郎、安倍能成、小宮豊隆、内田百閒、久米正雄、芥川龍之介……みな東京帝国大学の学生ないし卒業生であり、卒業後も物理学者だの、作家だの、哲学者だの、学習院院長だのいう社会一流の立場に立った。のちに『漱石全集』を出すことになる岩波書店創業者・岩波茂雄もまた帝大哲学科（選科）を出た、ひろい意味での弟子のひとりだったのである。

すなわち漱石死後の名声は、この人たちの顕彰によるところが大きい。もちろん作品そのものの魅力が第一ながら、その全集はこんにちにいたるまで、よく言えばアカデミックな、いささか

皮肉を弄するなら仲間ぼめじみた、そんな空気感がある。漱石という冬の空の一等星は、まわりの明るい星々とつねに線でむすばれ、星座をなし、その星座もろとも存在感を誇示しているのだ。

いっぽう賢治は、弟子がいなかった。

ひとまず教師ではあったけれど花巻の稗貫郡立稗貫農学校だから、そこの生徒は年齢においても、学力においても、東京帝大のそれとは比較にならない。

当然、卒業後にジャーナリズムで派手に師を顕彰することもなかったから、こんにちも賢治は惑星めいている。つねに孤独で、定位置がなく、ほかの星との連携もなし。遺稿を託された実弟・宮沢清六の尽力がなかったら、はたして最初の全集も出たかどうか。べつの喩えで言うなら、漱石には漱石山脈があるけれど、賢治は岩手山。ほぼ独立峰にひとしいのだった。

いや、そんな外形的なことばかりではない。もっと本質的なところでも漱石と賢治は正反対だった。

漱石の文章は『三四郎』にしろ『こころ』にしろ、主題が明快で、意味の伝達は端的におこなわれ、堅固な構成のもと論理的に展開する。まさしく長篇小説のためにあるような文章。これに対して賢治の文章は、ことに童話は、主題や論理の展開よりも、むしろ感覚的な衝撃をおもんじる。

意味よりも印象をつたえようとする。たとえば「或る農学生の日誌」のなかの、

けれどもぼくは桜の花はあんまり好きでない。朝日にすかされたのを木の下から見ると何だ

か蛙の卵のような気がする。

というくだりは典型的だった。桜の花と蛙の卵をむすびつける感覚の奔放さときたら、ふだんから自然に親しんでいるとか何とかでは説明がつかない。すなわち漱石は散文的。賢治は、
——詩的。

ということになるのだろう。そうして、この詩的ということを推し進めた果てにあるのが「なめとこ山の熊」一篇にほかならなかった。

わずか数ページのものだけれども、私の見るところでは賢治文学における、いや、日本近代文学における最高傑作のひとつである。ことに最後の数行など、自然と人間の関係における究極のハッピーエンディングというべきだが、だからと言って散文的要素は皆無かというと、この童話には、こんな文章があることも見のがせないだろう。

なんべんも谷へ降りてまた登り直して犬もへとへとにつかれ小十郎も口を横にまげて息をしながら半分くずれかかった去年の小屋を見つけた。小十郎がすぐ下に湧水のあったのを思い出して少し山を降りかけたら愕いたことは母親とやっと一歳になるかならないような子熊と二疋丁度人が額に手をあてて遠くを眺めるといった風に淡い六月の月光の中を向こうの谷をしげしげ見つめているのにあった。小十郎はまるでその二疋の熊のからだから後光が射すように思えてまるで釘付けになったように立ちどまってそっちを見つめていた。

淡い月光のなかの熊の母子（おやこ）という視覚的内容にまどわされなければ、ここにあるのが上質の散文、それもいっそ漱石的な説明文と呼べるものであることがわかる。作品でいうなら『三四郎』や『こころ』というよりは、むしろ流露感に富む『坊っちゃん』あたりかもしれないが、どちらにしても、山あるきに疲れた小十郎の様子やら、熊の母子の体の姿勢やらは、ほとんど物理的な正確さでもって読者にすばやく届くのである。

語法は一見ぐずぐずながら、しかしじつは堅固であることも、読点（、）がないだけに逆によく見える。賢治のあの奔放な感覚のすぐうしろにはこういうものが控えていて、いわば詩情の足腰になっているのだ。宮沢賢治という人は、素朴な意味において、まことにすぐれた散文家だった。

そうして彼の散文の特質をよりいっそう鮮明に示すのは「イギリス海岸」一篇だろう。これは童話というよりエッセイ、エッセイというより身辺雑記で、これを書いたとき賢治は稗貫農学校の先生だった。生徒たちを近くの北上川の川岸へつれて行って、水遊びをさせたり、鉱物標本の採集をさせたりした、その顚末を記したもの。

一種の指導報告書ともいえる。したがってそこには、たとえば、あの桜の花を蛙の卵と見るような警抜な比喩はない。「なめとこ山の熊」における「山は……うるうるもりあがって」のごとき、誰もが賢治文体の特徴とみとめる独特のオノマトピア的表現もない。ほんとうにただの実話、ないし限りなく実話っぽい作文なのだ。以下のくだりは、その北上川の「青白くさっぱりしてい」る川岸をなぜイギリス海岸と名づけたのか、その説明である。

実際そこを海岸と呼ぶことは、無法なことではなかったのです。なぜならそこは第三紀と呼ばれる地質時代の終り頃、たしかにたびたび海の渚だったからでした。その証拠には、第一にその泥岩は、東の北上山地のへりから、西の中央分水嶺の麓まで、一枚の板のようになってずうっとひろがって居ました。ただその大部分がその上に積った洪積の赤砂利や壚坶（ローム）、それから沖積の砂や粘土か何かに被われて見えないだけのはなしでした。

先生がしゃがみこんで生徒たちに臨時の授業をおこなっている、その肉声までもが聞こえる気がするが、その授業は、たしかに授業らしかった。まずそこは、太古のむかしは「海の渚」だったと結論をずばりと指摘して、それから「第一に」「第二に」「第三に」と理由を小分けにして述べている（右の引用は第一の部分のみ）。それぞれのなかに小概念があれば列挙する。いうなれば、概念の整理整頓。大箱のなかへ中箱をいくつか入れ、中箱のなかへ小箱をつめこむその手つきは事務的な意味でテキパキしているが、そういえば、漱石が東京帝国大学でおこなった「英文学概説」の講義もこんな作業のたまものだった。のちに一本にまとめられた『文学論』を読むかぎり、漱石はそこでまず文学的内容とは（F＋f）、つまり認識と情緒の結合であると結論をずばりと指摘する。そうしておいて、その文学的内容を触覚、温度、味覚、嗅覚、聴覚、視覚の六つにわけ、さらに視覚のなかに煇（かがやき）、色、形、運動の四要素があることを挙げ……まさしく大箱、中箱、小箱の整理。むだのない秩序づけ。着実機敏な散文家という点では、賢治と漱石は、じつは正反対ではなかったのだ。

ただ賢治の志向がもともと詩情のほうへ大きく寄っていたことは、これはまぎれもない事実である。まだ盛岡中学校の学生だったころさかんに詠んだ和歌の習作からもそれは明白だろう。すなわち賢治は先天的に詩を獲得し、なかば後天的に散文の才を獲得した。そんなふうに言えると思う。とするならば、賢治はその散文の才を人生のどの段階で得たのだろうか。

——教壇だ。

というのが私の想像だ。

稗貫農学校は、小さな郡立の学校だった。先生の数が足りなかったから、賢治は英語、代数、化学などの基礎的な科目はもちろん、土壌、肥料、気象などの専門的な科目も担当しなければならなかったし、稲作実習まで指導した。

指導の相手は、くりかえすが年齢的にも学力的にも未熟な子供である。賢治先生はつねに説明のしかたを考えなければならなかった。概念や知識の濃縮果汁を、なめらかに、テキパキと彼らの脳中へそそぎこまなければならなかった。

そのために必要なことばの技術が、つまり散文の練習になったのである。あの詩情を排した「イギリス海岸」一篇が学校生活の報告であることは、けっして偶然ではない。当時の賢治は二十代後半。文筆家として、ないし表現者として、いちばん吸収力に富む時期だった。詩人・賢治の奔放な感性は、じつのところ、社会人生活によって形式と秩序をあたえられたのである。

となれば、賢治は孤独な惑星などではない。

漱石という明るい恒星がまわりの弟子の星々とともに星座をなしていたように、賢治もまた生徒の星々にかこまれ、それらと線でむすばれて一個の星座をなしていたのだ。たしかにジャーナリズムで派手に師を顕彰することはなかったけれども、あの田舎の農学校の生徒たちは、この点で、文学史に対して、あの帝国大学出身者たちと同等の待遇を請求する権利を持つ。彼らは師を顕彰するかわり、師の創作に貢献した。おそらく当人たちも知らぬまま、師に文章を教えたのである。

なお右に引用した文章は、すべて本巻におさめられている。読者はもちろん空手（からて）で物語をたのしんでほしいし、たのしめるが、本巻には詩人と散文家がいる。

奔放な幻視家と着実な説明者がふたりながら立っている。そのへんの奇観もじっくり目撃してほしい。

宮沢賢治コレクション 5
なめとこ山の熊――童話V
二〇一七年六月二十五日　初版第一刷発行
著　者　宮沢賢治
発行者　山野浩一
発行所　株式会社 筑摩書房
東京都台東区蔵前二―五―三　郵便番号一一一―八七五五
振替〇〇一六〇―八―四一二三
印　刷　明和印刷 株式会社
製　本　牧製本印刷 株式会社

乱丁・落丁本の場合は左記宛にご送付ください。送料小社負担でお取り替えいたします。ご注文、お問い合わせも左記へお願いいたします。
筑摩書房サービスセンター
〒三三一―八五〇七　埼玉県さいたま市北区櫛引町二―六〇四
電話　〇四八―六五一―〇〇五三
ISBN978-4-480-70625-6 C0393